De rode zwaan

Sjoerd Kuyper

De rode zwaan

LEOPOLD / AMSTERDAM

STICHTING NEDERLANDSE
KINDERJURY
1997

Inhoud

Dit boek is opgedragen aan mijn vrouw Margje
en Joost en Marianne, mijn kinderen
met wie ik zo vaak op de brug stond.

De wisselvrucht

'Op het kleine eiland in het duinmeer, hier vlak achter het huis in het bos, stond eens de boom waaraan de vruchten voor de Goden groeien. Aan die vruchten dankten de Goden hun eeuwige leven. Het eiland was verboden gebied voor de mensen die, zoals je weet, allen moeten sterven. Een monster bewaakte het eiland, de boom en de vruchten. Toch waren er in de eeuwen die aan dit verhaal voorafgingen velen die een poging waagden de dood te slim af te zijn en naar het eiland voeren. In plaats van het eeuwige leven vonden zij een voortijdige dood.

Maar de held van dit verhaal, een jongen van zestien, liet zich niet afschrikken door de verhalen over het droeve lot van hen die de vruchten hadden begeerd. Hij was verliefd. Het meisje was nog geen vijftien jaren, maar ze vlijde zich graag naast hem in het gras en betoverde hem met haar ogen, die als groene sterren fonkelden onder haar nachtzwarte haar. Hij fluisterde:

"Zo zou het altijd moeten zijn, wij in elkanders armen, voor eeuwig samen."

Zij antwoordde, met lippen die zó rood waren dat het leek alsof het haar bloed was dat sprak:

"Ga naar het eiland en pluk een van de vruchten die daar groeien voor de Goden. Wij zullen er samen van eten."

De jongen keek in haar ogen en wist dat de wereld zou vergaan als die sterren ooit zouden doven. Hij beloofde haar het eeuwige leven.

De volgende ochtend begaf hij zich naar het meer. Hij vond een roeiboot, nam de riemen en duwde de boot af, weg van de oever, het water op. Hij begon te roeien. Maar... opeens werden de roeiriemen hem met kracht uit handen geslagen. Ze vlogen overboord en dreven van hem weg. Geschrokken keek de jongen achterom. Het monster? Nu al? Hij zag het eiland. De boom waaraan de vruchten voor de Goden groeien stak hoog uit boven het andere geboomte. Het monster zag hij niet. Het hield zich schuil of had nog niet gemerkt dat een vermetele op weg was naar het eiland. De jongen stak zijn handen in het water, peddelde naar de riemen en trok ze terug in de boot. Hij legde ze over de pennen, begon weer te roeien, maar... hij had nog geen twee slagen gedaan of de riemen werden hem opnieuw met enorme kracht uit handen geslagen. Hij tuurde in het water van het meer. Het was helder tot op de bodem. Hij zag waterplanten wiegen, hij zag vissen statig zweven, maar zelfs toen hij zijn hoofd in het water stak zag hij niets dat hem van zijn roeiriemen beroven kon. Hij peddelde de riemen achterna, trok ze weer binnenboord, legde ze over de pennen en begon te roeien. Maar...'

'Pats! Wég riemen!' zei Jakob.

'Precies,' zei grootvader.

'Hoe vaak gebeurde dat?'

'Een waarschuwing komt altijd in drieën. Wie het dan nog niet begrepen heeft, die moet het zelf maar weten. Die tart het noodlot.'

'Was het een waarschuwing?' vroeg Jakob. 'Van wie dan? Van het Houtvolk?'

Het Houtvolk was een volk van kleine lieden dat tussen de mensen en de zee woonde, in de bossen en de duinen. Het deed vaak mee in grootvaders verhalen.

'Wie zal het zeggen...' zei grootvader. 'Misschien wilde hij zichzelf waarschuwen voor het gevaar.'

'En hij liet zich door niets afschrikken! Dat zei u net!'

'De jongen zelf niet, nee. Maar misschien dacht zijn Reisgenoot er anders over. Die wist per slot van rekening precies wat er te gebeuren stond.'

'En hij zat alleen in dat bootje!'

'Je Reisgenoot is onzichtbaar. In ieder geval voor jezelf. Maar hij is

er vaker dan je denkt... Het is moeilijk uit te leggen. Er is een volks-
geloof...'

Grootvader dacht na. Jakob zweeg. Eigenlijk wilde hij de rest van
het verhaal over het eiland horen. Er kwam net vaart in. Dat met die
roeiriemen gebeurde maar drie keer, dat hadden ze gehad, ze konden
voort. Maar wie was die onzichtbare Reisgenoot? Die maakte hem ook
nieuwsgierig.

'Nee,' zei grootvader. 'Over de Reisgenoot vertel ik een andere keer,
als je dat wilt. Als ik het nu doe raak ik in de war. Ik kan beter één
verhaal goed vertellen dan twee verhalen bederven. Let op.'

Grootvader rechtte zijn rug. Hij nam een flinke teug van zijn cider
en zei:

'En wéér werden de roeiriemen hem uit handen geslagen. Voor de
derde keer... Maar de jongen trok zich er niets van aan. De liefde had
hem blind gemaakt voor de gevaren die hem bedreigden, hij tartte het
noodlot. Voor de derde keer viste hij de riemen uit het water, legde ze
over de pennen, en roeide. Hij roeide en niets en niemand hield hem
tegen. Zonder verder oponthoud bereikte hij het eiland. Hij keek
scherp om zich heen en zag niets dat hem verontrustte; hij luisterde
nauwlettend en geen gerucht bereikte zijn oor. Hij zag de boom waaraan de vruchten voor de Goden groeien hoog boven het andere geboomte uitsteken en... hij zag de vruchten!

Volmaakt rond waren ze. Als de zon, als de maan zo rond hingen
ze te glanzen aan de takken. Er waren er die blank waren als de huid
van zijn geliefde; andere waren rood als het bloed dat haar lippen kleur-
de; ook waren er groene vruchten die hem aan haar ogen deden denken. Heel even had de jongen het idee dat de boom zijn liefje was dat
daar naakt voor hem stond... Hij dook ineen in zijn bootje. Hoorde
hij iets?

Het was het water van het meer, dat in kleine golfjes tegen de boeg
van zijn roeiboot klotste: tep-tep-tep, zoals de voet van de violist het
ritme van het wijsje meetikt. Het verbrak de betovering. Hij moest
voorzichtig zijn. Zonder geluid te maken trok hij de boot op de oever.
Hij legde de opstandige riemen klem onder de boeg. Opnieuw keek

hij op naar de reusachtige boom, maar deze keer liet hij zich niet be-
dwelmen door het glanzen van de vruchten. Hij bedacht wat hem te
doen stond.'

Ha! dacht Jakob vergenoegd. Nu zit de vaart er goed in! Grootvader staarde in de haard alsof het verhaal zich daar afspeelde en hij alleen maar verslag hoefde te doen van wat hij zag gebeuren. Hij keek
ernaar met een schittering in zijn ogen, als een goudzoeker die na jaren zwoegen eindelijk op een gulle ader was gestoten.

'De jongen had niets bij zich. Hij wist dat er op aarde geen wapens
bestonden die het monster konden verslaan. De enige manier waarop
hij een vrucht kon bemachtigen, was zó slinks te werk gaan, dat het
monster het niet zou merken. Tot nu toe ging alles goed. Hij was op
het eiland, de boom waaraan de vruchten voor de Goden groeien bestond niet alleen in verhalen maar ook in werkelijkheid, en het monster had zich nog niet laten zien.

De jongen liet het bootje achter op de oever en liep het eiland op.
De takken en de bladeren van het lagere geboomte bogen zich over
hem en hij verloor de boom waaraan de vruchten voor de Goden groei-
en uit het oog. Maar het eiland was klein, verdwalen kon niet. Hij zette zijn voeten behoedzaam neer, bestudeerde de plek waar hij zijn volgende stap zou zetten, vergewiste zich ervan dat er geen takje lag dat
kraken kon, geen dor blad dat kon ritselen. Als hij een stap gedaan had
keek hij snel om zich heen om te zien waar het monster bleef.

Was er wel een monster? Als je de verhalen geloven mocht wel. Maar
van wie waren die verhalen afkomstig? Van de mannen uit vervlogen
eeuwen die naar het eiland waren gevaren? Nee. Want zij konden het
niet navertellen. En waarom konden zij het niet navertellen? Precies!
Extra voorzichtig sloop de jongen voort. Het was een mooie zomer-
dag. Het zonlicht drong tussen de bladeren door en krioelde op de
grond. Overal rondom klonk het gekwinkeleer van vogels. Er leek niets
aan de hand. En dát... beangstigde de jongen meer dan welk gevaar
ook. Hij begon bijna naar het monster te verlangen. Als het nu tevoorschijn kroop, dan wist hij tenminste waar hij aan toe was!

Langzaam, langzaam naderde hij het hart van het eiland, de plek waar de boom stond. Hij maakte geen geluid, raakte geen tak, geen blad, en ademde onhoorbaar in en uit. Ten slotte bereikte hij een open plek, die lag te baden in het felle zonlicht. Midden op de open plek, héél dichtbij, hoger en dikker dan de jongen had verwacht, stond de boom waaraan de vruchten voor de Goden groeien. En ook hier... geen monster! Niets kon de jongen ervan weerhouden snel een vrucht te plukken voor zijn geliefde en te maken dat hij wegkwam. Ze zouden er samen van eten en zij en hun liefde zouden onsterfelijk worden.

Dat alles leek zo nabij, dat de jongen alle voorzichtigheid uit het oog verloor. Het leek ook zo eenvoudig! De vruchten hingen weliswaar hoog in de boom, hoger dan de jongen reiken kon, maar ziet!, de natuur hielp hem een handje. De wortels van de boom waren voor een gedeelte boven de aarde uit gegroeid en lagen in ringen om de stam gewonden. Hoe hoger de ringen kwamen, hoe dunner ze werden. Zo was een natuurlijke trap ontstaan van gladde, ronde treden. Eenmaal op de bovenste trede aangekomen zou de jongen zonder moeite de laagsthangende vrucht kunnen plukken. Hij bedacht zich niet langer en bestormde de trap.

Het ging goed! Het ging goed! Hup! Met grote sprongen de treden op! Omhoog! En hoe hoger hij kwam hoe kleiner de sprongen werden. De sprongen werden stappen. Hij was er bijna. De stappen werden stapjes. Nog één stapje en...

Maar toen hij op de bovenste trede was aangekomen en zijn hand uitstrekte naar een groen glanzende vrucht, voelde hij hoe de trede onder zijn voeten begon weg te glijden. En niet naar beneden, nee, opzij! De jongen wankelde en vond houvast op de trede eronder. Maar niet voor lang! Ook die gleed onder zijn voeten weg. En die daaronder al net zo. De hele trap was in beweging gekomen! De treden cirkelden met duivelse snelheid rond de stam van de boom...

Er was niets waaraan de jongen zich vast kon houden. Hij tuimelde achterover, stuiterde over de langssuizende treden naar beneden, en landde op zijn rug in het warme zand van de open plek. Hij wilde overeind krabbelen, wilde weer omhoog, hij moest en zou de vrucht te pakken krijgen, maar hij bleef liggen waar hij lag. Als versteend. De trap had zich van de boom losgewonden en strekte zich uit in zijn volle lengte.

De trap was het monster en het monster was een slang.

Dreigend stond hij daar, het monster, de bewaker van de boom, de slang, wiebelend op zijn staart, groot als... nee, groter dan de boom waaraan de vruchten voor de Goden groeien. Zijn kop stak uit boven de kruin en in die kop fonkelden zijn ogen als zilveren wapenschilden in de zon. Uit de enorme bek stak een gevorkte tong waarvan de twee punten groot en rood waren als in bloed gedrenkte slagzwaarden. En aan weerszijden daarvan verrezen, gelijk scherpe kliffen, de giftanden.

Dat zag de jongen toen de slang zich met wijd opengesperde bek over hem boog. Dat, en de moordlust in de ogen van het monster. De jongen probeerde achteruit te krabbelen, naar de rand van de open plek, hij wilde zich verstoppen onder de struiken daar, wilde naar de boot rennen, wilde vluchten over het water... Maar de blik die gloeiend uit de ogen van de slang schoot ging dwars door hem heen en nagelde hem vast aan de plek waar hij lag. De kop kwam naderbij, de tong wiegde als de slinger van een hypnotiserende pendule, ijskoude adem streek langs het lichaam van de jongen in het zand.

Als bevroren lag hij. Hij kon geen pink bewegen. Maar in zijn hoofd leek het wel kermis. Gedachten en herinneringen zweefden en zwierden door elkaar. Hij zag de gezichten van zijn ouders, hij zag zijn huis, zijn jeugd, zijn vrienden, en als laatste, levensgroot, getekend door bliksemschichten, het gezicht van zijn lief: de groene sterren van haar ogen onder het nachtzwarte haar, haar bloedrode lippen die hem kusten – zó vurig, dat het leek of het haar hart was dat hem kuste. Zo prachtig en heerlijk als zij was, zo smerig en wanstaltig was de slang. Ze waren elkaars tegenpolen en de jongen begreep dat wilde hij dit kille monster verslaan, hij al zijn kracht moest putten uit zijn liefde.

De angst trok weg uit zijn hart, de kou uit zijn lijf. Hij bleef liggen waar hij lag, maar spande zijn spieren voor een razendsnelle beweging, welke dan ook. Het lichaam van de slang boog dieper en dieper door, de kop met de opengesperde bek kwam nader en nader...'

Grootvader zweeg. Alsof hij op adem moest komen nu hij zo lang achtereen verteld had. En misschien moest hij nadenken over hoe het verhaal verderging. Ze zaten samen voor de haard, ieder op een luchtbed. De luchtbedden waren het enige meubilair in huis. Jakob en grootvader warmden hun voeten aan het vuur. De reidans van de vlammen langs het hout was al beëindigd, maar de sintels, door grootvader zorgvuldig bijeengeharkt, gloeiden nog fel. Het was vreemd te bedenken, vond Jakob, dat grootvader in dit huisje, in deze kamer, misschien precies op de plek waar hij nu in de gloed zat te staren, geboren was. Hier, in Bakkum, dit kleine dorp aan de kust, in dit vervallen huisje waarvan alleen de kamer waarin ze zaten enigszins bewoonbaar was.

Het was een lang verhaal als grootvader het vertelde, Jakob had minder woorden nodig. Grootvader, die ook Jakob heette, was drieënzeventig jaar geleden geboren in dit huis. Zijn moeder had een zwakke gezondheid. Jakob bleef enig kind. Zijn moeder stierf toen hij vijf was. Zijn vader werkte dag en nacht om zijn zoon, die een scherp verstand had, de kans te geven om te leren. Op zijn zeventiende vertrok Jakob naar Leiden waar hij rechten ging studeren. Hij ontmoette een Frans meisje, dat als gouvernante in dienst was bij een Frans diplomaat en daar in Leiden bijna stierf van heimwee. Vlak voor de Duitsers Nederland binnenvielen vertrokken ze samen naar Frankrijk. Ze vestigden zich in het zuiden, vlak bij het dorp waar het meisje was geboren, in het niet bezette deel van het land. Jakob maakte zijn studie af, leerde accentloos Frans spreken en werd advocaat.

Jakob en zijn vrouw kregen kinderen en de oudste zoon moest Jakob heten – zo was het immers al eeuwenlang de gewoonte in de familie – maar de jonge moeder stribbelde tegen. Eén Jakob was wel genoeg, vond ze, de naam deed haar te veel aan Nederland en heimwee denken. Het werd Jacques. Jacques vestigde zich tot verdriet van zijn moeder weer in Nederland en toen híj een zoon kreeg werd het Jakob – Jakob, die naast grootvader Jakob op een luchtbed zat en luisterde naar een verhaal dat op het spannendste moment zomaar was opgehouden. Nou ja... opgehouden? Pauze. Het monster had zijn gruwelijke muil wijd opengesperd en moest zo blijven zitten tot ná de pauze...

'Een Bakkummer heeft geen haast,' zei grootvader altijd. 'Het gaat er niet om wát je vertelt, het gaat erom hóe je het vertelt. Haast is de vijand van ieder verhaal.'

Grootmoeder ging nooit mee als grootvader in Nederland op bezoek ging bij zijn vader, die met zijn tweede vrouw in Amsterdam was gaan wonen. Zelfs toen haar oudste zoon en diens kinderen in Nederland woonden, en zij grandmère genoemd werd, weigerde ze Frankrijk te verlaten.

'Als ze me willen zien, komen ze maar hier.'

Dat deden ze. Iedere zomervakantie trokken Jakob en zijn ouders en zijn zusje naar het grote huis van grootvader en grandmère in Zuid-Frankrijk. Heerlijke weken waren dat. Ze namen afscheid met de woorden:

'Bedankt, grandmère, kom het maar gauw eens terughalen.'

'Ha!' zei grandmère dan. 'Er kan je van alles overkomen op zo'n reis. Nee hoor, een mens moet sterven waar-ie is geboren. Ik gun geen buitenland mijn laatste adem.'

'Ze lijkt wel een ouwe Bakkummer,' zei grootvader dan.

Een halfjaar geleden was grandmère gestorven, thuis, zoals ze altijd gewild had. Haar laatste ademtocht ging langs de vertrouwde meubelstukken in de kamer naar de keuken en door het sleutelgat in de achterdeur de tuin in waar zij de gelukkigste uren van haar leven had doorgebracht. De lentestorm die buiten woedde viel even stil, vertelde grootvader later.

Die zomervakantie gingen Jakob en zijn familie niet naar Zuid-Frankrijk. Grootvader kwam naar Nederland. Hij logeerde bij hen en maakte uitstapjes naar Leiden en andere plekjes die hij kende uit zijn jeugd. Zo kwam hij ook in Bakkum terecht en aan het einde van die dag kwam hij thuis met de opzienbarende mededeling dat hij zijn geboortehuis had gekocht en van plan was daar zijn laatste dagen te slijten.

'Grandmère had gelijk,' zei hij, 'een mens moet sterven waar-ie is geboren. Het leven is een cirkel. Als een slang, die in zijn eigen staart bijt; als een schorpioen, die zijn giftige angel in zijn eigen kop steekt.'

Dat klonk niet al te optimistisch, maar grootvader bracht het nieuws zó vrolijk, dat niemand protesteerde; niemand probeerde hem van zijn plannen af te houden, al scheen het huisje een ruïne te zijn. Het voordeel daarvan was, dat hij het voor zeer weinig geld had kunnen kopen.

'Cadeautje,' zei grootvader. 'Ze willen me daar graag terug, denk ik. Het huis stond als het ware op me te wáchten!'

Met een aannemer uit het dorp zou grootvader het huis in oktober gaan opknappen. Dat had hij allemaal in één dag geregeld. Hij bruiste werkelijk van geestdrift.

'Misschien neem ik mijn kleinzoon mee, die heeft dan toch vakantie,' had hij gezegd.

Nou, Jakob wilde wel!

'Ik had niet anders verwacht,' zei grootvader. 'Er stroomt per slot van rekening Bakkums bloed door jouw aderen.'

Dat was waar, maar het zei Jakob weinig. Er stroomde ook Frans bloed door zijn aderen en dat deed hem ook niks. Ja, als hij naar voetballen of wielrennen keek en Nederland deed niet mee, dan was hij voor de Fransen. Maar Bakkum...?

Grootvader beweerde dat hij alle verhalen die hij vertelde lang geleden gehoord had van een buurmeisje in Bakkum dat bij hem in de klas zat en met wie hij vaak optrok, en dat zij ze gehoord had van haar grootmoeder, en die weer van háár grootmoeder, die ze op haar beurt weer van háár grootmoeder hoorde. Jakob werd duizelig als hij aan die grootmoeders dacht. Alsof hij achterover de tijd in tuimelde, de eeuwen door, langs lange rijen in het zwart geklede oude vrouwen, die aan één stuk door verhalen vertelden.

Maar toen ze in dit huisje aankwamen en grootvader zijn koffer uitpakte, zag Jakob dat er veel boeken tevoorschijn kwamen. Meer boeken dan kleren. Dat was nog maar een paar uur geleden, al leek het alsof er sinds grootvader was begonnen met zijn verhaal dagen waren verstreken. De boeken lagen naast grootvaders luchtbed. Op de stapel lag een zaklantaarn. Er was nog geen elektriciteit in het huis. Ook geen gas. Ze hadden alleen water. IJskoud water. Jakob keek naar de boeken. Op bijna alle ruggen stond *Volksverhalen* en het boek dat bovenop lag heette *Legenden van Holland's kust*. Dus misschien had grootvader zijn verhalen in die boeken gevonden en uit zijn hoofd geleerd.

Wat maakt het ook uit, dacht Jakob; als het verhaal maar spannend is. En dat was het. Tenminste, grootvader máákte het spannend. Hij vertelde niet alsof hij voorlas of een lesje opzei, hij vertelde alsof hij zich het verhaal met moeite kon herinneren. En soms dacht hij lang na. Té lang... Maar dat was altijd net op een moment dat je graag wilde dat hij verder ging. Dus misschien deed hij het wel expres. Om een beetje te jennen. Zoals alle goede vertellers jennen, lekker jennen, door zogenaamd na te denken als de stoom uit de woorden begint te slaan. En heel, héél misschien wist grootvader écht nog niet hoe het af moest lopen met de jongen en de slang op het eiland; had hij het verhaal niet gehoord, niet gelezen, zat hij het gewoon te verzinnen!

Hij was nu trouwens wel héél erg lang stil. Jakob zou graag met een stokje in zijn geheugen poeren, of in zijn fantasie, om hem weer op gang te helpen. Hij zette zijn glas cider aan zijn lippen en dronk het in één teug leeg. Lekker.

'Mag ik nog wat?' vroeg hij.

Grootvader schrok op.

'Je hebt er al twee gehad!'

Dat is het goeie van grootouders, dacht Jakob: ze zijn niet zo bezorgd. Ze geven je af en toe een glas appelcider, ook al ben je dertien en vinden je ouders je veel te jong voor alcohol. En het goeie van een grootvader die bijna z'n hele leven in Frankrijk heeft gewoond is: hij geeft je wel eens twéé glazen appelcider. Jakob was gek op appelcider.

'Nog ééntje...' zeurde hij.

'Ben je besodemieterd!' zei grootvader. 'Je hebt genoeg gehad. Ik vertel het verhaal, en dan gaan we slapen.'

Dat is het goeie van een grootvader die bijna z'n hele leven in Frankrijk gewoond heeft én van verhalen houdt, dacht Jakob: als je om een derde glas cider vraagt, gaat hij als een speer verder met vertellen.

'Nader en nader kwam de wanstaltige kop van de bewaker van de boom waaraan de vruchten voor de Goden groeien. Nader en nader kwam de wijd opengesperde bek van de slang, nader en... daar *schoot* de gevorkte tong uit de bek!'

Jakob gleed van zijn luchtbed van schrik.

'Zo goed?' vroeg grootvader.

Jakob krabbelde terug naar zijn zitplaats en lachte.

'Ik schrok écht,' zei hij.

'De jongen ook,' zei grootvader. 'Want de tong was veel langer dan hij voor mogelijk had gehouden. Hij werd volkomen verrast en had geen tijd om weg te rollen, geen tijd om op te springen, geen tijd om te vluchten of te vechten. Hij stak zijn handen uit in een afwerend gebaar en zonder dat hij besefte wat hij deed greep hij de scherpe tongpunten van de slang, met iedere hand één, en hield ze stijf omkneld. Van diep uit het lichaam van de slang steeg een woedend geloei op dat langzaam naderbij kwam en uiteindelijk als een orkaan langs de jongen naar buiten spoot. Maar de jongen kneep uit alle macht in de tongpunten en toen het monster zich weer in volle lengte oprichtte werd hij mee omhooggeslingerd. In een flits zag hij de stam, de takken en de vruchten aan zich voorbijtrekken tot hij zich hoog boven de kruin van de boom bevond.

Heel even hing hij stil in de lucht, en in dat onmeetbaar korte moment zag hij het eiland onder zich, zijn bootje, het meer, de oevers, de landerijen die zich naar het oosten uitstrekten, de bossen en de duinen met de smalle sluipwegen van het Houtvolk in het westen, de zee... Ja, hij was zó hoog, hij zag heel Kennemerland, zijn geboortegrond die hij zo lief had. Toen tuimelde hij de opengesperde bek van de slang in.

Maar... nog steeds omklemden zijn handen de punten van de slangentong en daaraan dankte hij het dat hij niet verder viel, de peilloos diepe strot in. Het monster sloot zijn muil en het werd donker, aardedonker, en koud als in een van ijsschotsen getimmerde doodskist. De jongen begon over zijn hele lijf te rillen en dat bracht de slang weer in beweging. Het monster opende zijn bek en stootte zijn tong met grote kracht naar buiten. Het wilde zich bevrijden van de handen die zich als bankschroeven om die tong klemden. Maar of het nu de angst was die de vingers had verkrampt of de ijzige koude in de bek die ze had bevroren, de jongen liet niet los en kón ook niet meer loslaten. Al zou hij het willen... De slang zoog zijn tong weer naar binnen, stootte hem weer uit, in, uit, en de jongen vloog mee, in, uit, in, uit, tot hij niet meer wist waar en zelfs niet meer wie hij was. Hij verloor het bewustzijn. Maar ook al was zijn geest uitgeschakeld, zijn handen bleven hun werk doen. Hij liet niet los.

Toen hij weer bijkwam wist hij zeker dat hij dood was. Hij zat rechtop, in de rug gesteund door een hard voorwerp, en een ijzig koude wind joeg langs hem. Hij kon zijn lichaam niet bewegen. Hij kreeg zelfs zijn oogleden niet omhoog. Zo wachtte hij gelaten tot zijn ziel weg zou vliegen naar het dodenrijk. Maar dat gebeurde niet. Er gebeurde niets. Met inspanning van al zijn krachten zette hij zijn ogen op een kier. Hij zag zijn handen. Ze lagen als versteend in zijn schoot, en iedere hand omknelde een punt van de slangentong. Maar dan... Hij leefde nog! Langzaam keerde het gevoel terug in zijn lijf. Hij kon zijn nek weer draaien en keek om zich heen. Hij bevond zich nog steeds in de bek van het monster. Het beest was zeker buiten adem geraakt, want de koude wind ging in een hoog tempo in en uit en de muil stond half open. De jongen draaide zich om en zag dat zijn rug leunde tegen een van de manshoge giftanden. Na zijn lichaam trad ook zijn geest weer in werking. Langzaam en half verblind, als mannen die door een sneeuwstorm zwoegen, schreden zijn gedachten voort. En opeens, als viel de storm stil, werd alles helder. Er was maar één ding dat hem redden kon...

De jongen spande zijn spieren en *sprong* op. Hij hief de tongpunten boven zijn hoofd en trok ze over de scherpe giftand. De tong was taai als oud leer en de jongen moest er met zijn hele gewicht aan gaan hangen voor de tand erin doordrong en uiteindelijk aan de bovenkant zichtbaar werd. Op dat moment welde uit de diepte van het slangenlijf een welhaast menselijke kreet van pijn en angst. De tongpunten werden slap en gleden de jongen uit handen. Het gif mengde zich met het koude slangenbloed, de stuiptrekkingen begonnen, de kop zwaaide heen en weer. Nu de tong hem ontglipt was, probeerde de jongen houvast te vinden aan de tand, maar die was te groot en te glad, en toen de stuiptrekkingen in hevigheid toenamen werd de jongen met geweld uit de bek geslingerd.

Tot zijn grote geluk kwam hij terecht in de kruin van de boom waaraan de vruchten voor de Goden groeien. Hij hees zich op een stevige tak, haalde diep adem, spreidde zijn verkleumde leden, opdat de zon ze kon ontdooien, en gaf zich over aan het schitterende schouwspel dat de doodsstrijd van het monster bood. De kop van de slang ging schokkend tekeer als de kop van een kotsende kat. Dat duurde niet lang. De kop kwam stijf in de lucht te staan en het lichaam begon te sidderen. Het werd naar beneden getrokken. De jongen gluurde tussen de takken door naar de grond. Aan de voet van de boom begon het lijf zich om de stam te winden. Zoals de levende slang zich onder de voeten van de jongen liet wegglijden toen hij de trap beklom, zo bouwde de stervende slang de trap weer op, laag op laag, schuivend, glijdend, schurend langs zijn eigen schubben, tot de kop neerplofte op de bovenste ring. Dood. Dood als een trap.

Mazzel, dacht de jongen, kom ik nog makkelijk beneden ook. Maar hij had het nog niet gedacht of hij tuimelde bijna van zijn tak. Er voer een huivering door de boom waaraan de vruchten voor de Goden groeien. En tot zijn ontsteltenis zag de jongen dat de boom in de aarde begon weg te zakken. De boom verdween! Zou het dan tóch nog mislukken? Verwilderd keek hij om zich heen. Aan het einde van de tak waarop hij zat hing een vrucht. Wellicht de mooiste en de grootste van alle. Glanzend rood en groter dan een reigersnest. Die, dacht de jongen, die! En terwijl de boom snel in het zand van het eiland verdween, schoof de jongen nóg sneller naar het einde van de tak. Hij greep de vrucht, rukte haar los van de steel en klemde haar aan zijn borst. Net op tijd! De boom *zoefde* nu het zand in. De jongen liet zich vallen, rolde over de laatste gladde treden van de slangentrap die nog boven de grond waren omlaag, en plofte neer in het warme zand van de open plek. Uitgeput bleef hij liggen. Met de boom zakte het monster weg in de grond. Het leek alsof het niet echt afscheid kon nemen.

Eerst verdween de kruin van de boom, daarna pas de kop van de slang. Het laatste wat de jongen zag was de gevorkte tong, die nog heel even, wiegend, dreigend als een dansende grafzerk, op de open plek bleef staan. Toen verdween ook die in de aarde. De jongen strekte zich uit in het warme zand en... Merde...!'

Jakob schrok wakker uit het verhaal.

'Gaat dat de hele avond zo door?' vroeg grootvader.

Hij keek naar het raam aan de straatkant. Er hingen nog geen gordijnen. Het huisje lag vlak aan de weg; wie Jakob en grootvader wilde begluren, die kon z'n gang gaan.

'Ik zie niks,' zei Jakob.

'En je hóórt ook niks?' vroeg grootvader.

'Ja, een auto.'

'Een vráchtwagen...! Het hele huis staat te schudden!'

Nu hoorde Jakob het ook. In de verte klonk nog het gedender van een vrachtwagen. Het was hem niet opgevallen toen het ding langskwam. Hij woonde in Amsterdam, daar hoorde je wel eens vaker wat. Grootvader had in Frankrijk in de bergen gewoond, aan een doodlopend weggetje, die was niks gewend.

'Hij is alweer weg,' zei Jakob.

'Deze wel,' zei grootvader. 'Jij hoort blijkbaar niks. Het was niet de eerste vanavond en het zal ook wel niet de laatste zijn. Waar moeten ze toch allemaal naartoe, zo laat in de avond? De mensen zijn zo ontevreden tegenwoordig. Nooit is het eens goed waar ze zijn. Altijd moeten ze ergens anders heen, en dan komen ze daar, en dan blijkt het er ook niet goed te zijn, en dan gaan ze maar weer terug of nóg verder. Zo komt de herrie in de wereld, Jakob...'

Grootvader zuchtte diep, greep de lange lijst met klussen die geklaard moesten, knipte zijn zaklantaarn aan en schreef mompelend:

'Dubbel glas...'

'En toen?' vroeg Jakob.

'En toen...' zei grootvader. 'Waar was ik?'

'Het monster was verdwenen in de grond.'

'Heel goed, het monster was verdwenen in de grond...'

Een nóg grotere vrachtwagen daverde langs het huis. De ramen rammelden in hun sponningen en de zorgvuldig bijeengeveegde kooltjes in de haard vielen van elkaar en gloeiden nog even op. Grootvader greep zijn lijst en schreef grimmig:

'Driedubbel glas...'

Het geluid van de vrachtwagen verdween als wegstervend onweer richting Egmond.

'En de jongen,' zei grootvader, 'plofte in het warme zand en viel in slaap, de vrucht van de Goden aan zijn borst gedrukt als het hoofd van zijn liefje. Hij sliep en de Goden trokken zich terug in de aarde, ze trokken hun handen af van de mensen. De Goden waren vertoornd. Sinds de schepping hadden zij de mensen gediend, maar nu was de maat vol. Als een mens het voedsel van de Goden tot zich nam, dan moest de mens wel denken dat hij zelf een God was. In dat geval waren de Goden overbodig. En zo voelden ze zich: overbodig en gekwetst. Ze trokken zich terug in de aarde, namen de vruchten met zich mee, en ook de slang die de vruchten bewaakte. Zij goten hem sap van een vrucht in zijn bek en wekten hem weer tot leven.

Want dát was de kracht van de vruchten: zij maakten de levenden niet onsterfelijk, o nee!, zij konden de doden tot leven wekken. Het waren *wisselvruchten*! De Goden dienden elkaar het sap toe als ze gestorven waren en dan begon hun lange lange leven van voren af aan... Maar wie er tijdens zijn leven van at, die moest sterven.

De jongen wist niets van dit alles. Hij sliep en toen hij ontwaakte was het avond. De schemering steeg op uit de aarde en spreidde zich uit over het water van het meer. De jongen sprong op en rende naar zijn roeiboot. Hij schoof de boot het water in en legde de vrucht die hij de Goden had ontstolen op het bankje tegenover zich. Met forse slagen roeide hij weg van het eiland. De oever van het meer, waar zijn geliefde hem wachten zou, kwam snel naderbij. Maar de jongen keek niet naar de oever, hij keek niet naar het eiland dat langzaam werd opgeslokt door de nacht, hij keek alleen naar de vrucht. Hij wist niet beter of deze vrucht, die hij na een zo dappere strijd veroverd had, zou hem en zijn liefje voor eeuwig samenbrengen in elkanders armen, in elkanders hart. Armen die nooit zouden ophouden met omhelzen, harten die nooit tot bedaren zouden komen.

21

In een roes boog hij zich voorover en kuste de vrucht. En toen zijn mond de dieprode schil beroerde, die zacht was als de lippen van zijn lief, steeg uit de vrucht een geur op, zo hemels, dat de jongen bedwelmd raakte. Hij boog zich voorover en nam een hap uit de vrucht. Hij sloot zijn ogen, om de smaak goed in zich op te nemen, en opende ze nooit meer.

Zijn liefje was op de afgesproken tijd op de afgesproken plek: een uur na zonsondergang aan de oever van het meer, op de plek vanwaar de jongen vertrokken was. Ook de jongen kwam op tijd op de afgesproken plek. Als door zijn laatste wil bestuurd schoof het bootje aan land. Zijn lichaam was stijf en koud, de vrucht glansde in het licht van de sterren, die als witte stenen aan de hemel stonden.

Het meisje wist evenmin iets van de wisselvrucht en haar wondere kracht, die doden tot leven wekt en levenden doet sterven, maar ze zag het ontzielde lichaam van haar geliefde en de beet die hij uit de vrucht had genomen en ze begreep zoals alleen een vrouw begrijpen kan. Ze tilde het lichaam van de jongen uit de boot, legde het op de oever, nam de vrucht, vlijde zich naast haar geliefde neer, boog zijn koude armen om haar lichaam, sloeg háár armen om zijn koude lijf en... at van de vrucht. Een diepe vrede kwam over haar. Als we niet het eeuwige leven kunnen hebben, dacht ze, dan maar voor eeuwig samen in de dood. Ze slikte het vruchtvlees door en ook zij stierf.'

'Hun lichamen zijn tot stof vergaan,' zei grootvader, 'maar de vrucht ligt er nog. Tenminste, dat heb ik horen beweren. Wie een vrucht van de Goden eet moet sterven en vergaat tot stof, en de Godenvrucht die door mensenhanden is beroerd verandert op den duur in steen en wacht af. Zo gaat het verhaal. Ga maar eens kijken. Als je van hier naar het meer loopt kom je vanzelf bij een bruggetje. Vandaar kun je de plek zien waar de geliefden stierven. Daar, aan de waterkant, zeggen ze, ligt een gladde ronde steen, groter dan een reigersnest. Men beweert zelfs dat je, als je goed kijkt, de tandafdrukken van de jongen en het meisje kunt zien. Ik heb de steen nooit kunnen vinden.'

'Heeft u echt gezocht?'

'Er was een tijd dat ik iedere dag bij het meer speelde.'

'En u heeft nooit...?'

'Ik heb verkeerde ogen. Dat zei mijn buurmeisje altijd, dat ik verkeerde ogen had. Die had ze zelf ook, en ze vond het vreselijk dat wij alleen maar bomen en gras zagen waar volgens de verhalen veel meer te zien was.'

'Dat buurmeisje van de verhalen?'

'Ja, zij.'

'Nou,' zei Jakob grijnzend, 'die had dan wel een heel erg grote fantasie. Dat krijg je, met al die bossen in de buurt.'

'Zo kan-ie wel weer, stadse haan,' zei grootvader. 'Tanden poetsen en je slaapzak in.'

Het was donker geworden in de kamer. De gloed in de haard was gedoofd, maar je kon het onder de sintels smeulende vuur nog ruiken en ook de warmte trok nog behaaglijk langs hun lichaam. Het gele licht van de straatlantaarns viel door het raam naar binnen. Grootvader stond op.

'Gek om terug te zijn,' zei hij.

Hij pakte zijn koffertje en opende het op het aanrecht.

'Vroeger liep er een muur door dit vertrek,' zei hij. 'Dit was de keuken en de kamer was voor, aan de weg. We woonden in de keuken, we kwamen alleen in de kamer als er visite was.'

'Gaat u alles weer precies zo maken als vroeger?'

Jakob ritste zijn tas open en viste naar zijn pyjama.

'Ben je mal,' zei grootvader. 'Al die kleine hokjes.'

Opeens hield Jakob zijn knuffel in zijn hand. Zijn oude konijn. En hij had nog zo tegen z'n moeder gezegd dat dat niet meer mee hoefde! Snel stopte hij het dier terug. Te laat...

'Kijk nu,' zei grootvader, 'daar hebben we Jip! Hallo Jip!'

Jakob trok het konijn weer omhoog. Wat maakte het ook uit. Op werkweek wilde hij niet meer met z'n knuffel aan komen zetten, en als hij bij een vriend logeerde ook niet, maar bij grootvader? Hij legde Jip op zijn kussen, de slappe oortjes glad langs het koppie. Want zo moest het.

'Waarom willen jullie toch altijd zo razendsnel groot worden?' vroeg grootvader. 'Altijd maar hoge sprongen maken, en hopen dat je hoofd in de lucht blijft hangen en je voeten naar de grond groeien. Als je een kind vraagt wat hij later worden wil, zegt hij: groter dan m'n vader...'

Hou op! dacht Jakob. Want hij wilde zelf ook zo snel mogelijk volwassen worden. Dat had grote voordelen.

'Grootvader,' vroeg hij, 'had u vroeger ook een knuffel?'

'Je had vroeger geen knuffels,' zei grootvader. 'Ja, meisjes hadden poppen. Met keiharde koppen. Als je die liet vallen lagen ze in scherven. En dat gebeurde nogal eens. Moest je ze lijmen. Al die poppen leken op het monster van Frankenstein. Maar jongens? Wij hadden houten geweren en pijlen en bogen en polsstokken waarmee we de weilanden in trokken...'

'Had u dan niemand om in bed mee te praten?'

'Ik...?'

Grootvader zweeg. Aarzelde. Jakob kon zijn gezicht niet zien in de duisternis, maar voelde dat hij aangekeken werd.

'Nee,' zei grootvader. 'Een knuffel had ik niet.'

Een gevoel van eenzaamheid overviel Jakob. Een verlangen naar huis. Ik ben gewogen en te licht bevonden, dacht hij. Grootvader wilde iets zeggen. Maar hij heeft het niet gedaan.

Ze poetsten hun tanden, naast elkaar aan het aanrecht, bij het licht van de zaklantaarn, en kropen in hun slaapzak.

'Jakob,' vroeg grootvader, 'waarom wil jij in hemelsnaam zo razendsnel volwassen worden?'

'Omdat je dan alles kunt doen wat je wilt!'

'Dus jij denkt,' zei grootvader, 'dat jouw vader alles kan doen wat hij wil.'

'Nee,' zei Jakob, 'maar die heeft het helemaal verkeerd aangepakt... Die is getrouwd!'

Daar moest grootvader zo verschrikkelijk om lachen, dat hij zeker een minuut nodig had om weer op adem te komen.

'Die zit,' zei hij. 'Maar is dat de enige reden? Omdat je dan kunt doen wat je wilt? Is het ook niet omdat je op een brommmertje wilt rijden?'

'Neuh...' zei Jakob, 'een brommer hoef ik niet... Maar een auto lijkt me wel wat!'

'Merkwaardig toch. Alle kinderen zouden het liefst hun jeugd overslaan. Hup! Meteen volwassen...'

'Zou u dan weer jong willen zijn?'

'Ik mag niet mopperen, ik heb een goed leven gehad. Maar de laatste tijd, ja... Ik zou best eens een dagje door mijn jeugd willen rondwandelen.'

'Heeft u daarom dit huis gekocht?'

'Ik denk het.'

'Maar alles is veranderd.'

'Alles. En toch brengt dit huis mijn jeugd iets dichterbij. In de buitenwereld is er niets van over, maar sinds ik terug ben komen er af en toe beelden in mijn hoofd, vage beelden van vroeger waarvan ik dacht dat ik ze voorgoed kwijt was. O, als ik één dag terug zou mogen, wat zou ik goed kijken, wat zou ik goed luisteren, wat zou ik de geuren diep in me opsnuiven! Want dat heb ik destijds vergeten. Ik had het ook verschrikkelijk druk met groot worden, net als jij. Ik keek alleen maar naar voren. Misschien bedoelde mijn buurmeisje dat met "verkeerde ogen". Ik keek niet om mij heen, ik keek alleen naar wat de toekomst mij zou brengen. En nu? Nu kijk ik voornamelijk terug... Niemand kijkt ooit om zich heen – dát is het! Als ik mijn jeugd nog eens over zou mogen doen, zou ik beter om me heen kijken. Beter *opletten...*'

Grootvader zweeg en ook Jakob wist niets meer te zeggen. Hij wilde slapen, maar het lukte niet. Het was ook zo vreemd om hier te liggen, in dit oude kale huisje, naast grootvader die lag te woelen en te draaien. Na tien minuten hield Jakob het niet meer uit.

'Kunt u ook niet slapen, grootvader?'

'Nee.'

'Waar denkt u aan?'

'Wat denk je?'

'Aan vroeger.'

'Hoe raad je het zo.'

'Wilt u nog een verhaal vertellen?'

'Niet nu.'

'Ook niet over de Reisgenoot?'

'Morgen... Welterusten, Jakob.'

'Welterusten, grootvader.'

Opnieuw was het stil in het huis en buiten. Zelfs de vrachtwagen-chauffeurs hadden hun bed gevonden. Grootvader bleef woelen op zijn luchtbed, maar Jakob sukkelde in slaap. Hij dacht dat hij *niet* sliep; het was zo'n slaap waaruit je plotseling wakker schiet en denkt: Hé, zeker tóch geslapen. Hij schrok op van gezang op straat. Er werd ge-giecheld en geschreeuwd.

'Mais non!' zei grootvader. 'Fransen! In Bakkum! Je bent ook ner-gens veilig.'

Het waren jongens, zag Jakob, een paar jaar ouder dan hij. Ze hiel-den stil voor het raam.

'Wat staan ze daar toch te gluren?' vroeg grootvader.

'Ze kammen hun haar,' zei Jakob. 'Ze gebruiken het raam als spie-gel.'

'IJdele haantjes,' zei grootvader, 'echte Fransen. Er is een jeugdher-berg verderop, daar zitten ze natuurlijk.'

Hij pakte zijn zaklantaarn en richtte die op het raam.

'Ja, ja, jullie zijn mooi,' mompelde hij. 'Kijk maar.'

Hij knipte de lantaarn aan en een felle lichtbundel bescheen de jon-genshoofden met de keurige kapsels.

'WOEHOEHOE!' schreeuwde grootvader.

Jakob schrok bijna nog erger dan de Franse jongens, die niet wisten heo snel ze weg moesten komen. Grootvader grinnikte.

'Fransen kunnen absoluut niet tegen "Woehoehoe" in een leeg huis,' zei hij. 'Die zien we voorlopig niet terug.'

'Zet maar gordijnen op uw klussenlijst,' zei Jakob.

'Des rideaux,' zei grootvader.

Hij deed de lantaarn uit en legde hem naast zijn bed. Ze kropen weer diep in de slaapzakken.

'Grootvader,' vroeg Jakob, 'mist u grandmère heel erg?'

'Ja.'

'Heeft u gehuild, toen ze dood was?'

'Ja.'

'Lang?'

'Ja.'

'En nu?'

'Nu is het over en ben ik alleen nog maar verschrikkelijk blij dat ik grandmère gekend heb. Ik heb geluk gehad.'

'O...' zei Jakob. Want zo kon je het natuurlijk ook bekijken.

'Heel lang geleden,' zei grootvader, 'heb ik eens bedacht dat het leven een droom was. Niet mijn eigen leven, maar het leven van de mensen om mij heen. Dat *ik* al die mensen droomde. Sommige mensen waren nachtmerries, andere mensen grauwe dromen, en er waren natuurlijk ook een páár mensen van wie ik zóveel hield – dat waren mijn verrukkelijke dromen. Snap je dat?'

Jakob knikte. Hij dacht van wel.

'Als je een verrukkelijke droom gehad hebt,' zei grootvader, 'word je vrolijk wakker. Je bent blij dat je die droom gedroomd hebt. Toch? Ik heb tenminste nooit meegemaakt dat iemand woedend met zijn vuisten op de ontbijttafel zat te beuken omdat z'n mooie droom zomaar was opgehouden toen hij wakker werd. Nee, je kijkt met plezier en dankbaarheid terug op zo'n droom. En zo is het ook met mensen die je kent. Je houdt van ze en dan gaan ze dood. Het is dan net of je wakker wordt uit die mensen. Je wrijft aan de ontbijttafel de slaap uit je ogen en iedereen denkt dat je huilt. En dat ís natuurlijk ook zo. Je huilt. Ik bedoel, bij mensen is het toch wat anders dan bij dromen... En dan kun je met je vuisten alle ruiten stukslaan van verdriet en woede, maar je kunt ook denken: Wat een verrukkelijke droom! En als je geluk hebt gehad, denk je: Wat duurde die droom lekker lang – meer dan vijfenvijftig jaar...! Zo lang heeft mijn droom van grandmère geduurd, Jakob. Vijfenvijftig jaar! Dan mag je niet mopperen.'

Grootvader was stil. Jakob zei ook niets. Hij dacht aan zijn vader en moeder. Als zij dood zouden gaan was hij vast niet blij en dankbaar dat hij ze dertien jaar had gekend. Hij zou gek worden van verdriet.

Van angst ook. Hij zou niet weten hoe het verder moest zonder hen. Was hij maar thuis. Kon hij ze maar even zien. Kon hij maar opbellen... Eigenlijk begreep hij niets van wat grootvader vertelde. Hij zag twee kisten wegzakken in de aarde. Hij zag zichzelf en zijn zusje op een kerkhof.

'Zo had ik het lang geleden bedacht,' zei grootvader, 'en ik heb al die tijd gehoopt dat ik er nog net zo over zou denken als grandmère eerder doodging dan ik. Maar ik heb harder gehuild dan ik dacht, ik voelde me leger dan ik voor mogelijk had gehouden, en dat duurde langer dan ik wilde. Maar nu... Het begint te lukken. Ik begin grandmère langzaamaan te zien als een verrukkelijke, zeldzame droom. Zo mooi... Maar ja, de wereld is natuurlijk nog wel vol van haar. Bij iedere bloem die ik zie, elke geur die ik ruik, alle muziek die ik hoor, denk ik: Daar genoot grandmère ook zo van.'

Grootvader zweeg weer. De heldere herfstnacht spreidde een zware stilte uit over de aarde. Maar grootvader mocht niet zwijgen! Niet nu! Met al die dood in zijn hoofd kon Jakob niet slapen. Hij wilde dat grootvader verder vertelde. Over iets anders. Om de enge gedachten te verdrijven.

'Grootvader,' vroeg hij, 'mist u Frankrijk?'

'Nee,' zei grootvader. 'Ik ben blij dat ik terug ben. Alles is dan wel veranderd, er dreunen vrachtwagens voorbij waar ik nooit om gevraagd heb, maar dat maakt niet uit. Dit is oude grond, *mijn* oude grond, en uit die grond dampen nog steeds de verhalen die ik hoorde als kind. Het verhaal dat ik je vertelde, over de wisselvrucht, en al die andere verhalen die ik al ken sinds mijn jeugd, sinds mijn buurmeisje ze vertelde – ik draag ze al die jaren bij me, zonder ze aan iemand kwijt te kunnen. Ik heb het wel geprobeerd. Ik vertelde ze aan grandmère, aan je vader, maar daar in Frankrijk en later in Amsterdam lukte het niet. Ik vertelde over de Reisgenoot, het Houtvolk...'

'Vertel daar nog es over,' zei Jakob.

'Niet nu.'

'Maar ik kan niet slapen!'

'Morgen. Of overmorgen. Geduld. Nu ik terug ben beginnen de

verhalen weer te leven in mijn hoofd. Hier zijn ze thuis. Niet in Frankrijk of in Amsterdam. Als ik ze daar vertelde leken het sprookjes. Lollige sprookjes, niet meer dan dat. Maar als ik ze hier vertel, op de plek waar ze ontstaan zijn, kan ik ze vertellen zoals ze verteld moeten worden: alsof ze echt gebeurd zijn. En ze *zijn* ook echt gebeurd. Dat weet ik zeker sinds ik terug ben, Jakob... Er zit tover in dit land, *alles* kan hier echt gebeuren.'

De Reisgenoot

Die gordijnen moest grootvader maar helemaal boven aan zijn lijstje zetten, dacht Jakob toen hij wakker werd. Grijs licht werd met bakken door het grote raam de kamer in geslingerd. Maandagochtend. Tientallen fietsers reden langs het raam. Handen aan het stuur, voeten op de trappers, gedachten nog in bed. Als robots reden ze. Niemand kwam op het idee om naar binnen te gluren. Dat kwam Jakob goed uit. Hij lag heel erg zichtbaar midden in de kamer op zijn luchtbed. Het bed van grootvader was leeg.

Jakob stond op. Hij liet de slaapzak van zijn lijf glijden en liep, gekleed in onderbroek en t-shirt, naar het raam aan de achterkant. De tuin was versierd met spinnenwebben waaraan pareltjes water geregen waren. Achter in de tuin stond een schuurtje. Daarachter lag een weiland, en waar de wei ophield begon het bos. De weide was bedekt met mist, witte onbedorven mist die van boven glad was afgestreken. De toppen van de bomen aan de bosrand staken er fier bovenuit en vingen het eerste zonlicht. Het werd opnieuw een mooie dag. Krankzinnige herfst. De bomen stonden nog volop in blad en je kon nog altijd zonder jas over straat. De zomer was heet geweest en wist van geen afscheid. Als een gast die al lang tot ziens heeft gezegd, maar bij de deur nog uren blijft praten.

Ik heb gedroomd, dacht Jakob, maar wat? Hij kon het zich niet herinneren. Het enige wat hem te binnen schoot was het verhaal van de wisselvrucht. Had zijn droom daarmee te maken? Hoe meer hij zijn best deed zich iets van de droom te herinneren, hoe vager alles werd. Alsof de droom door een deurtje in zijn achterhoofd naar buiten vluchtte.

Hoog in het huis klonk gestommel. Jakob liep de trap op. Het geluid kwam van zolder. Een metalen keukentrap wees hem de weg. Hij klauterde omhoog. Door de duisternis daarboven flitste af en toe een bundel licht. Midden op de vloer van de kale, lage zolder zat grootvader kalmpjes om zich heen te kijken. Hij stuurde het licht van zijn zaklantaarn van de ene stofhoek naar de andere en neuriede wat voor zich uit.

'Goedemorgen, grootvader,' zei Jakob.

Het licht trof hem vol in zijn gezicht.

'Je laat me schrikken, jongen.'

'Sorry.'

Jakob klom de zolder op en ging naast grootvader zitten.

'Weet jij,' vroeg grootvader, 'wat de lekkerste geur op deze aarde is?' En voor Jakob met zijn slaperige hoofd over geuren kon gaan zitten nadenken, gaf grootvader zelf het antwoord: 'Appels die al maanden op zolder liggen. In kistjes.'

Jakob snoof. Hij rook niets.

'Nee,' zei grootvader. 'De geur is verdwenen. Maar hier op zolder bewaarde mijn vader appels en aardappelen, en nog jaren nadat mijn moeder was overleden stonden hier weckflessen met groente en fruit die zij had ingemaakt.'

Hij begon weer in het rond te schijnen.

'Als mensen in een huis komen wonen,' zei hij, 'gaan ze altijd verbouwen – alles! Alsof de vorige eigenaar *alles* verkeerd heeft gedaan. Maar voor ze aan de zolder toekomen zijn ze moe. Of ze gaan weer verhuizen. Zolders blijven vaak hetzelfde. Fijn is dat. Hier zat ik als ik ruzie had. Of straf. Kijk...'

Het licht uit de lantaarn viel op een dikke schuine balk.

'Zie je die twee gaten? Die heb ik erin geboord. Ik had een oude wekker gevonden langs de weg, die heb ik gesloopt en van de veren en radertjes heb ik een tijdmachine gebouwd. Die bevestigde ik met moeren en bouten aan de balk. Hij deed het geweldig. We zoefden zo de geschiedenis in.'

'Met wie was u dan?'

'Ik was alleen.'

'U zei "we".'

'Ik had... een zwaan. Daar speelde ik vaak mee. Toen je gisteren vroeg of ik een knuffel had, moest ik weer aan hem denken. Maar hij was geen knuffel. Hij was van hout, hard hout, dat knuffelde niet lekker. Hij sliep bij me in bed, dat wel... En als ik op avontuur ging, was hij er altijd bij.'

'En waar gingen jullie heen?'

'Naar de tijden die ik met geschiedenis had gehad op school, de Egyptenaren, de Grieken... Die speelde ik na.'

'De Romeinen?'

'Daar vond ik niet veel aan. Ik probeerde ook wel eens de verhalen van mijn buurmeisje na te spelen, maar dat lukte nooit. De wisselvrucht, de Reisgenoot en het Houtvolk – dat die kleine mannetjes en vrouwtjes de vermaledijde Romeinen de zee in lokten... Dát vond ik weer wel leuk. Dat verhaal ken je toch?'

'Volgens mij niet.'

'Dat hou je dan te goed. We moeten brood en melk en koffie gaan kopen. Ik rammel van de honger, als een jonge vent.'

'Leefde het Houtvolk in de tijd van de Romeinen?'

'Ze leven nog, ze zijn van alle tijden, ze trekken zich niets aan van klokken en kalenders, ze zoeven dwars door de tijd heen, naar voren, naar achteren, opzij als een krab op het strand, ze kunnen hier zijn, op dit moment, op deze zolder, alleen jij en ik zien ze niet, wij hebben verkeerde ogen. Daarom kon ik die verhalen ook niet naspelen. Ik kon wel *zien*, in mijn fantasie, hoe alles gebeurde, maar ik kon niet in zo'n verhaal terechtkomen. Ik kon er niet doorheen lopen... Met de Middeleeuwen lukte dat wel. De Middeleeuwen vond ik schitterend. Ridders en jonkvrouwen, een draak hier en daar. Ik heb wat gevechten geleverd! Nou! Verder dan de Middeleeuwen ging ik niet. Daarna vond ik de geschiedenis saai worden, erg saai.'

'Vond u de Tweede Wereldoorlog niet spannend dan?'

'Die,' zei grootvader met een uitgestreken gezicht, 'zat nog niet in ons pakket.'

Shit! dacht Jakob. De oorlog was nog helemaal niet geweest toen grootvader op school zat! Die moest nog komen, met alle ellende!

'Sorry,' zei hij.

'Ik woonde toen in Frankrijk,' zei grootvader. 'Ik heb het meegemaakt, maar ik heb er geen last van gehad. Ze kwamen niet waar ik woonde... Weet je, geschiedenis was een makkelijk vak toen ik jong was. Je hád nog bijna geen geschiedenis. Alles moest nog gebeuren.'

Hij lachte. Jakob lachte gauw mee. Grootvader liet het licht weer rondschijnen.

'Het troost me dat ik hier ben,' zei hij.

Jakob vroeg niets. Troost had met verdriet te maken. De angst die hij gisteren voelde, toen grootvader over de dood van grandmère sprak, stak weer in hem op.

'Ik had vannacht een vreselijke droom,' zei grootvader, 'en die zit nog steeds in mijn hoofd.'

'Ik heb ook gedroomd,' zei Jakob, 'maar ik ben het kwijt.'

'Ik niet, jammer genoeg,' zei grootvader. 'Het was een onzettend kinderachtige droom, maar daarom niet minder eng... Ik was weer een jongen en woonde hier. Ik zat in de kamer beneden. Mijn buurmeisje was er ook. Het was koud in huis, want het raam was gebroken. Op de schoorsteen van het huis aan de overkant zat een zwarte vogel. Hij was zeker een meter of acht van snavel tot staart. Hij keek naar ons en mijn buurmeisje vertelde dat hij ieder jaar naar het dorp kwam om een mens op te eten. Als ze gezegd had dat hij kwam om *mensen* op te eten, was het lang niet zo erg geweest. Maar nee, hij kwam voor één mens. Ik wist voor wie hij kwam... De vogel vloog op van de schoorsteen en dook op het gebroken raam af. De hemel werd donker. Mijn moeder stond achter in de kamer te telefoneren. Ik schreeuwde: "Mama!" Toen werd ik wakker.'

'Kwam de vogel voor u?'

'Nee,' zei grootvader. 'En ook niet voor mijn buurmeisje.'

Jakobs droom kwam terug. Heel langzaam. Als een pont uit de mist.

'Ik weet mijn droom ook weer,' zei hij.

'Vertel.'

'Nee,' zei Jakob. 'Liever niet.'

Zijn droom was zo onvoorstelbaar veel kinderachtiger dan die van grootvader... Hij was een tovenaar in de droom. En Bennie en Johnny en Kadir, zijn vrienden van school, waren ook tovenaars. Eva was er ook, maar die had eigenlijk nergens mee te maken. Ze was er gewoon. Het kinderachtigste was wel dat hij, Jakob, de hoofdtovenaar was. Er kwamen heksen en die maakten alles kapot en toverden mensen om in kikkers en andere beesten. Ze toverden een berg om in een vulkaan die eeuwig uitbarstte. De vier tovenaars stonden op de muur van hun kasteel en zagen de lava komen. Ze strekten hun handen uit en maakten zo een stuwdam. – Hoe kóm ik erop...? dacht Jakob. Dit kan ik toch niet aan grootvader gaan vertellen? – Die nacht ontdekten de heksen waar de tovenaars hun toverkracht verborgen hielden. Ze stalen de kracht en verstopten die. En toen was er iets geks. We waren onze toverkracht kwijt, herinnerde Jakob zich, maar we hadden nog een ander soort kracht. Een aantrekkingskracht voor onze eigen toverkracht. En die kon niemand stelen. Dus toen we wakker werden voelden we dat we onze toverkracht kwijt waren, maar we voelden ook precies waar die was. We liepen er zo op af. Die was ergens begraven in de grond. Die vonden we zo...'

'Nou?' vroeg grootvader.

'Nee,' zei Jakob. 'Zó flauw heb ik nog nooit gedroomd. Eigenlijk is die droom van u helemaal niet zo kinderachtig. U woonde hier toen u een jongen was en u denkt de hele dag aan vroeger, en het huis is nog een puinhoop... Dus dat kapotte raam van u, dat snap ik ook wel.'

'Dank je,' zei grootvader. Hij stond op en liep naar het luik. 'Ik heb wel eens gehoord dat mensen sámen kunnen dromen; dat je in elkaars droom kunt inbreken, om het modern te zeggen. Dus als je ooit iets droomt wat helpt tegen zwarte vogels...'

De zolder was zo laag, dat zelfs Jakob gebukt moest gaan. Ze klauterden langs de keukentrap naar beneden. Op de overloop trok grootvader de deur naar de badkamer open. Een kleine, blauw betegelde ruimte met alleen een douche. Het raam gaf uitzicht op het weiland en het bos. De mist was opgetrokken. Het groen fonkelde in de zon, als was het mei.

'Het eerste wat we doen,' zei grootvader, 'is deze douche schoonmaken. De kleren plakken nu al aan mijn lijf, na één nacht in dit vieze huisje van me. Vanmiddag wordt alles aangesloten, vanavond hebben we licht en warm water.'

Hij trok een biljet van vijfentwintig uit zijn zak en gaf het aan Jakob.

'Alles is natuurlijk veranderd,' zei hij, 'maar het wemelde vroeger van de winkeltjes aan de Heereweg, dus je zult hier en daar nog wel iets kunnen krijgen. Wat hebben we nodig? Koffie, filters, melk, suiker, brood, kaas, boter... Als je zoetigheid op brood wilt, zoek je maar iets uit.'

Jakob liep de trap af.

'En koek voor bij de koffie!' riep grootvader hem na.

'Koek!' riep Jakob terug.

Hij sloop de woonkamer in, propte Jip, die daar in het volle daglicht lag te grijnzen, diep in de slaapzak, griste zijn broek en sokken en schoenen van de vloer en kleedde zich aan in de gang, waar niemand hem kon zien. Hij trok zijn kam uit zijn achterzak, haalde die door zijn haar, en stapte de deur uit.

Buiten bleef hij staan om naar het huis aan de overkant te kijken. Het was oud, het stond er vast al toen grootvader een jongen was. De voorgevel liep spits toe en Jakob stelde zich voor hoe op de nok een vogel zat van acht meter. Met gigantische klauwen en een snavel als de deuren van een sluis. Het was niet kinderachtig om daar bang voor te zijn. Dat was een volwassen nachtmerrie. Jakob zag vlak onder de nok een klein zwaluwnest. Hij was in een dorp. Echt op boerenland.

Jakob was dertien jaar geleden in Amsterdam geboren. Ze waren vaak verhuisd, zijn ouders, zijn zusje en hij, maar altijd binnen de stad. Een paar jaar geleden hadden ze een deftig huis gekocht in Amsterdam-Oost. Jakob was een echte Amsterdammer. Het enige platteland dat hij kende was het Zuid-Frankrijk van grootvader en grandmère.

Schuin aan de overkant was een bakkerswinkel. Bakkerij Krimp. Jakob keek nog één keer naar de nok van het huis recht tegenover hem. Er zat nog steeds geen zwarte vogel. Hij kon veilig oversteken. Nou ja, hij was wel goed gestoord ook, om zich zo te laten inpakken door de dromen en verhalen van grootvader... Hij stak over en schrok op van hevig getoeter vlakbij. Als verstijfd bleef hij midden op de weg staan. Met piepende remmen kwam een auto tot stilstand. De bumper raakte bijna zijn knie. Een vrouw stak haar hoofd uit het raam:

'Heeft je meisje het uitgemaakt?'

Jakob schudde zijn hoofd. Dat schudden ging bijna vanzelf; hij stond te sidderen op zijn benen.

'Waarom wil je er dan een eind aan maken?'

Jakobs hart bonsde hoog in zijn keel, zijn stem kon er niet langs. De vrouw reed door en Jakob bereikte veilig de overkant. Dat krijg je, dacht hij, als je bij het oversteken alleen let op vogels van acht meter.

Op slappe beentjes liep hij naar de bakkerij. Rolgordijnen voor het raam. 's Maandags gesloten. Jakob haalde diep adem. De kracht vloeide terug in zijn benen. Meisje? Brood, melk, koffie, filters, suiker, kaas, boter, zoetigheid én... een ansichtkaart voor Eva: 'Herfst te Bakkum. Hartelijke groet van Jakob en zijn grootvader.' Of moest het 'lieve groet' zijn? Zou hij dat durven?

Hij begon de straat af te lopen. Nergens een winkel te bekennen. Geen kruidenier, geen slager, geen melkboer. Hij zag alleen een garage. Jakob liep tot waar de weg een bocht maakte en hij het einde van de bebouwing kon zien. Akkers, duintjes, bos. Hij stak zéér voorzichtig over en wandelde terug.

Tegenover bakkerij Krimp begon een smal pad dat naar het bos liep. Hij volgde het tot hij bij een bord kwam waarop stond te lezen dat hij in het bezit van een toegangsbewijs moest zijn, wilde hij verder gaan. Hij bleef staan en keek naar het glanzende groen van de bosrand. Hier en daar brak het bruin al door. Daarachter ergens lag het meer met het eiland.

Hij grinnikte. Had ik toch bijna zo'n vrucht voor de Goden hard nodig gehad, dacht hij. Als die vrouw niet op tijd geremd had... Meteen al had hij spijt van de gedachte – nu liet hij de verhalen toch weer toe in zijn hoofd. De wisselvrucht! Op klaarlichte dag nog wel! In een wereld vol auto's en computers en mannen op de maan. Kalm nu. Koest... Verhalen zijn voor de avond, als je veilig binnen bent, en buiten is het donker. Dan mag grootvader toeslaan. Ogen dicht en op de binnenkant van je oogleden alles zien gebeuren – alsof daar een filmscherm is en de projector midden in je hersens staat te ratelen. Overdag moest je uitkijken met oversteken, keurig links en rechts en nog eens links, zoals hij in groep één al had geleerd, en dan een winkel zien te vinden.

Koek.

Ansichtkaart.

Lieve groet.

Jakob draaide zich om. Dat bos kwam morgen wel, of overmorgen, eerst moest hij boodschappen doen, dan sjouwen en gereedschap aangeven, en als het een beetje meezat helpen met schilderen en timmeren. Als hij vrij had zou hij wel eens gaan kijken; al was het maar om grootvader een plezier te doen.

In de zomervakantie had Jakob de avonturen van Odysseus gelezen, en die had hij zo prachtig gevonden, dat zijn ouders al bijna hadden besloten volgend jaar in de vakantie naar Troje te gaan. Naar Turkije! Nou, als je al die moeite deed om te zien waar de sprookjes uit verre landen zich afspeelden, dan kon je toch op z'n minst de verhalen van je grootvader serieus nemen en eens gaan kijken waar die hadden plaatsgevonden. Uiteindelijk maakte het weinig uit of je op een Grieks eiland tegen een cycloop vocht of op een Bakkums eiland tegen een monsterlijke slang. Zo eenvoudig was dat. Maar eerst koek. Koffie. Brood. Ansichtkaart en postzegel. Eva.

Op de schoorsteen van het huis aan de overkant zat nog steeds geen vogel van acht meter.

Jakob liep langs grootvaders huisje en gluurde naar binnen, zoals de Franse jongens gisteren hadden gedaan. Zij hadden in het donker misschien alleen hun spiegelbeeld gezien, maar Jakob zag, met het felle zonlicht schuin in zijn rug, alles wat zich binnen bevond: de slaapzakken, de tas en de koffer, de as in de haard, en vooral de kaalheid, de kaalheid van de woonkamer. Het zou nog wel even duren voor het daar gezellig was. Vanavond toch maar boven slapen, dacht Jakob, zo koud is het nu ook weer niet. Grootvader was nergens te bekennen. Die stond vast en zeker zijn badkamertje te schrobben.

Oplettend links en rechts kijkend wandelde Jakob verder, maar nergens ontwaarde hij iets wat op een winkel leek. Oude huizen en nieuwe huizen wisselden elkaar af, onafgebroken rijen auto's kwamen hem achterop en tegemoet. Een populaire route, die Heereweg, die grootvader als laatste reisdoel had gekozen. Jakob liep tot hij bij een kruispunt kwam. Links ging de weg het land in, rechts naar zee. Als hij rechtdoor liep kwam hij in een door kastanjebomen overschaduwde laan waaraan grote villa's stonden. Geen winkel. Nergens. Jakob besloot terug te keren en met grootvader te overleggen wat te doen.

Tijdens de terugtocht zag hij de eerste mens die niet per fiets of brommertje of auto voorbijflitste. Een man stond aan de overkant zijn auto uit te laden. Jakob stak over en sprak hem aan.

'Hé, hallo,' zei de man.

Hij staakte zijn handelingen en keek Jakob aan met een onderzoekende blik, alsof hij erover peinsde waar hij deze jongen eerder had gezien.

Jakob stelde hem gerust: 'Ik ben nieuw hier, ik zoek een winkel.'

De man knikte. Hij hield in iedere hand een groot schilderij.

'Het is maandag,' zei hij. 'Toch?'

Nu knikte Jakob. 'Een kruidenier of een bakker,' zei hij. 'Voor koek en koffie en brood.'

Nu knikte de man weer. Zijn sluike zwarte haar viel over zijn ogen, zijn neus en zijn snor. Hij zette een van de schilderijen neer en streek het haar met zijn hand achter zijn oor.

'De A-markt is open op maandagochtend,' zei hij. 'Dan moet je het dorp in.'

Jakob keek naar het schilderij op de grond. Het was zeer geel. Er stonden kleine huisjes op, en verre bergen onder een woest geschilderde hemel. Opeens herkende hij het landschap. Hij schrok ervan.

'Is dat in Zuid-Frankrijk?'

'Heel goed. Ben je daar geweest?'

'Mijn grootvader woonde daar. Maar nu is hij hier komen wonen. Gisteren.'

'In dat kleine witte huisje?'

'Daar, iets verderop,' zei Jakob, en hij vroeg: 'Heeft u dat geschilderd?'

'Helemaal zelf, ja.'

'Mooi,' zei Jakob.

'Dank je,' zei de schilder.

Hij liet het schilderij dat hij in zijn andere hand hield zien. Een grote boerderij.

'Dit is een boerderij hier in Bakkum.'

'Nog mooier,' zei Jakob.

Hij zei het niet uit beleefdheid, hij meende het. Hij moest wel eens met zijn ouders mee naar musea voor moderne kunst, maar daar was hij na een kwartiertje meestal al uitgekeken. Hij ging liever naar het Rijksmuseum, naar de afdeling geschiedenis, met de harnassen en de wapens en de schilderijen van zeeslagen, waarop de soldaten, als in stripverhalen, gehalveerd door de lucht vlogen. Maar de schilderijen die hier, vlak voor hem, gewoon op de keien stonden, vond hij ook mooi. Je kon zien dat de schilder de verf met plezier op de doeken had gesmeerd. De koeien voor de boerderij waren dikke klodders witte en zwarte verf. Meer niet. En toch waren het koeien.

'Is die A-markt ver?' vroeg Jakob.

'Tien minuten misschien,' zei de schilder, 'kwartiertje...'

'En dat is die kant op?'

Jakob wees naar de kruising en de schilder knikte voor de zoveelste keer. Een kwartier heen en een kwartier terug, dacht Jakob, en ik ben al minstens een kwartier op pad. Ik kan beter eerst gaan zeggen dat het iets langer gaat duren.

'Dank u,' zei hij, en hij begon in de richting van grootvaders huis te lopen.

'Je gaat de verkeerde kant op!' riep de schilder. 'Zo kom je er op den duur ook wel, maar 't is een eind om... Zo'n 46 000 kilometer, schat ik.'

'Weet ik,' riep Jakob. 'Maar ik ga eerst dáárheen en daarna weer dáárheen.'

'O ja,' zei de schilder en hij keek vertwijfeld. 'O ja. Natuurlijk. Je gaat eerst dáárheen en daarna weer dáárheen. Nou ja, 't is een stuk minder om.'

Hij stak zijn hand op. Jakob groette terug, liep verder, stak de weg over, ging het huis binnen, de trap op, en struikelde op de overloop over grootvaders gereedschapskist. Het maakte een ontiegelijke herrie. De deur van de badkamer vloog open en daar verscheen een dodelijk verschrikte grootvader, een spons en een fles schuurmiddel in z'n handen.

'Sorry,' zei Jakob.

'Foei,' zei grootvader, 'da's al de tweede keer vandaag. Net op zolder en nu weer... Heb je koffie?'

'Nee,' zei Jakob.

'Het komt door die droom,' zei grootvader, 'ik ben schrikachtig als een slak in een zoutmijn. Heb je geen kóffie?'

Jakob vertelde van zijn speurtocht.

'De A-markt...!' riep grootvader uit. 'Het moet ook niet erger worden. Vroeger waren hier wel tien kleine winkeltjes, en die waren altijd open, van 's morgens vroeg tot 's avonds laat, en zo hoort het ook.'

'Alleen een bakker, en die is dicht,' zei Jakob.

'Van maandagochtend tot zaterdagavond waren ze open, en als je op zondag achterom ging kon je krijgen wat je bliefde... Nog even dit, dan ga ik met je mee.'

Hij stapte de badkamer in en spoot met koud water uit de douche het schuurmiddel van de betegelde wanden.

'Zo,' zei hij, toen het werk gedaan was en hij zijn handen had afgedroogd, 'vanavond kunnen we douchen. En nu... óp naar de A-markt. Gezellig.'

Grootvader vond het wérkelijk gezellig. Hij stond nog niet buiten of de woorden spoten als vuurwerk uit zijn mond. Takke-takke-tak-boem-boem-baf...:

'Daar is de bakker, dat klopt, maar weet je zeker dat Piet de Klidder er niet meer is? Of Cor de Schreeuwer? Nee, je hebt gelijk. Allemaal weg. Ik wist dat het veranderd was, maar zó veranderd... Trouwens, dit huis hier stond er nog niet, en dat daar ook niet... De fietspaden waren van blokken beton, bonkbonkbonk ging dat, ja, als je een fiets had tenminste, en daar woonde... en die was familie van... en dan gingen we vaak... maar soms... En dan had je natuurlijk de kermis!'

Jakob werd er horendol van. Hij wilde vertellen van zijn ontmoeting met de schilder, maar hij kwam er niet tussen. Ze waren al bij de kruising.

'Verkeerslichten had je toen nog niet...

Ze staken over.

'En kijk, daar heb je de villa's van de professoren van Duin en Bosch, bij de tweede daar heb ik die wekker gevonden... En kijk, kijk, daar staat mijn oude schooltje nog!'

Nu was grootvader helemaal niet meer te houden. De namen van vriendjes en meesters rolden door en over elkaar heen tot Jakob er geen wijs meer uit kon worden. Het was alsof grootvader zich ontslagen voelde van de plicht jegens zijn voorouders om alles zo goed mogelijk te vertellen. Dit was allemaal echt gebeurd, het ging nu om de inhoud. De vorm van het verhaal, die hij tijdens het vertellen van sprookjes zo belangrijk vond, was verdwenen. Hij vertelde snel, gejaagd, alsof hij niet terúgkeek op zijn verleden, maar de herinneringen als een groep wilde ruiters op zich af zag stormen en ze voor wilde blijven, in plaats van ze rustig langs te laten trekken:

'Ja, Jakob, toen sneeuwde het nog wel eens 's winters... Toen speelden ze nog geen mooi weer met hun gat in de ozonlaag.'

Jakob begon geweldig te verlangen naar een sprookje.

'En hier,' zei grootvader, 'mocht ik van vader niet eens in de *buurt* komen. Dit was een poel van verderf...'

Ze waren op een pleintje aangekomen en stonden voor een café waarop in grote cowboyletters 'Hotel Café Borst' geschilderd was. Grootvader liep met ferme pas naar de ingang en duwde de deur open.

'Kom op!' riep hij en hij wenkte Jakob. 'Mijn vader zal me niet meer tegenhouden en als ik ergens trek in heb, is het wel in een driedubbele uitsmijter.'

Ze waren de enige gasten en kozen een tafeltje aan het raam. Ze bestelden uitsmijters, cola en koffie. Het café was groot en donker. Grootvaders opwinding ebde weg, nu hij lekker zat. Hij werd genoeglijk.

''t Is dat er vanmiddag gewerkt moet worden,' zei hij, 'anders nam ik een glas cognac.' Hij sloot zijn ogen. 'Dit is geluk, Jakob. Hier te zitten, in Bakkum... Want hoezeer het ook veranderd is, het blijft toch Bakkum. Hier te zitten, met mijn kleinzoon. En het herfstzonnetje buiten op het plein.'

Jakob rook zijn kans.

'Grootvader, wilt u nú vertellen over het Houtvolk?'

'Nee,' zei grootvader. 'Dit is een dag om te vertellen over de Reisgenoot. Want als ik op dit moment *iemand* kan missen als kiespijn,' en hij lachte bulderend, 'is het wel de Reisgenoot, *mijn* Reisgenoot.'

De uitsmijters werden op tafel gezet. Grootvader nam piepkleine hapjes, zodat hij tijdens het kauwen toch kon vertellen.

'Ze beweren wel eens, dat je vlak voor je sterft je hele leven aan je voorbij ziet trekken, als in een film. Wel, vroeger geloofde men dat er vlak na je geboorte iets dergelijks gebeurde – dat je in de wieg, als in een flits, alles wist over je toekomst. Je hele leven. Je hebt baby's van een paar dagen oud, die opeens glimlachen; maar je hebt ook baby's die, als ze hun toekomst eenmaal kennen, besluiten te sterven. De mysterieuze wiegendood waartegen geen dokter ooit het medicijn gevonden heeft...

Hoe kan dat allemaal?

Dat kan, zo beweerde men althans, omdat een mens twéé geesten heeft. Eén die zijn leven lang in zijn lichaam huist, en één die direct na de geboorte uit het lichaam treedt en vóóruit de tijd in snelt, op onderzoek in de toekomst. Die keert na drie dagen terug van zijn reis, buigt zich over je wieg als een goede of kwade fee, en vertelt wat je te wachten staat. Wij, ouders en familie en vrienden, wij staan aan dezelfde wieg, maar wij kunnen hem niet zien, die tweede geest, die in de verhalen de Reisgenoot genoemd wordt. Wij zien slechts de glimlach op het gezicht van de baby, of wij dragen de baby naar zijn grafje... Als een baby besluit het leven niet aan te gaan, heeft dat niets met de ouders te maken. Je kunt het slecht treffen en een reeks nare gebeurtenissen voorgeschoteld krijgen waaraan je ouders en zelfs je Reisgenoot niets kunnen veranderen. En wat doe je dan...? Als baby ken je dus je toekomst, alles, je jeugd, je volwassen leven, je ouderdom, je dood. Maar later raak je die kennis kwijt. Nét op het moment dat je leert praten en alles wat je hebt gehoord aan anderen zou kunnen vertellen, net op dat moment zinkt het weg in je onderbewuste... Weet je wat dat is?'

Jakob knikte, ook al wist hij het niet precies.

'Als bij een computer,' zei grootvader. 'De informatie zit erin, het is allemaal opgeslagen, maar je weet niet met welke knop je het moet oproepen.'

'O ja,' zei Jakob mat.

Hij had gehoopt dat het verhaal over de Reisgenoot een avontuur zou zijn, zoals dat van de wisselvrucht, maar het bleek een soort les in biologie en informatica. Nu ja, de uitsmijter was fantastisch, de cola gleed tintelend naar binnen, en zo op een maandagochtend in een café te zitten met je grootvader, dat was ook niet niks. Aan de overkant van het plein was een man bezig zijn snackcar te openen. 'De Klomp' heette het ding.

'Wil je dat ik verder vertel?' vroeg grootvader.

'Ja natuurlijk!' zei Jakob geschrokken, en hij stak zijn vork zó diep in de uitsmijter dat het metaal over z'n bord kraste.

'Je ziet je Reisgenoot maar drie keer in je leven. Eén keer als hij vlak na je geboorte uittreedt; één keer als hij na drie dagen terugkeert om je aan je wieg het verhaal van je leven te vertellen; en één keer, de laatste...'

'Wat doet hij in die drie dagen?'

'Die heeft hij nodig om het allemaal mee te maken.'

'Echt méémaken? Een heel leven in drie dagen?'

'De een doet langer over de tijd dan de ander. Maar om dit *verhaal* niet al te lang te maken: de derde keer dat je je Reisgenoot ziet is de laatste. Hij komt nog één keer bij je. Als je op sterven ligt. En dan *blijft* hij ook bij je, want daarna is hij overbodig. Als een mens sterft, sterft zijn Reisgenoot met hem. Ze zijn immers twee geesten van één en hetzelfde lichaam. In de dood ben je nooit alleen, Jakob.'

'Maar waar is die Reisgenoot dan als je hem *niet* ziet? De hele tijd eigenlijk? Je hele leven?'

'Hij is altijd in de buurt. Katholieken hebben een engelbewaarder die een beetje op ze past en voetbalkeepers hebben het na een wedstrijd waarin ze veel geluk hadden over een engeltje op de lat. Zoiets is het... Een mens wordt tijdens zijn leven door allerlei gevaren bedreigd, en je Reisgenoot rent als het ware voor je uit om je op die gevaren te wijzen, en heel soms kan hij zelfs ingrijpen. Hij leeft onzichtbaar met je mee op aarde.'

'Maar waarom gaat het dan niet *altijd* goed met *alle* mensen?'

'De Reisgenoot is niet almachtig. Hij is ook maar een soort van mens... Je moet goed opletten, anders mis je zijn waarschuwingen. Als hij drie keer de roeispanen uit je handen slaat, kun je er toch minstens even over nadenken waarom dat is. En het hangt er ook vanaf hoe je zelf bent. Mensen die heel bewust leven hebben een slordige Reisgenoot, en slordige mensen een heel oppassende. Het is me tenminste opgevallen dat mensen die er maar een beetje op los leven heel veel geluk hebben. En mensen als ik, die alles zelf proberen te regelen, hebben weinig geluk. Nou ja, ik heb natuurlijk ontzettend veel geluk gekend... Ik bedoel meer *mazzel* – onverwachte hulp bij ongelukken. Mensen als ik doen bijna nooit een beroep op hun Reisgenoot – dus die wordt lui, traag van geest, en vergeetachtig. Maar dat geeft niet, want mensen als ik hebben hun Reisgenoot ook niet nodig. En zéker niet op een dag als vandaag, in Bakkum, met mijn kleinzoon in een café, en het herfstzonnetje buiten.'

'Dus,' zei Jakob, 'iedereen die lééft heeft vlak na z'n geboorte gezien dat het goed met hem zou gaan?'

'Goed genoeg om het leven aan te durven,' zei grootvader.

'En daarom zijn ze blijven leven,' knikte Jakob peinzend.

'Jij snapt het. Drie dagen na je geboorte heb je besloten dat je wilt leven. Je zag je leven voor je en wist dat je het avontuur aandurfde; je wist dat je het kon en wilde... Nu geloven de mensen niet meer in de oude verhalen, en als ze somber zijn doen ze de gekste dingen met zichzelf, om te ontsnappen aan het leven. Ze zijn vergeten dat het de moeite waard is, dat ze dat ooit zelf hebben gezien, dat ze er zin in hadden. Als de mensen er nog wel in zouden geloven, zouden ze weten dat de dingen vaak goed komen. Ook al ben je vergeten hoe. Als de mensen dáár nu eens vanuit zouden gaan...'

'Gelooft u in de Reisgenoot?'

'Ik kom er wel achter als ik doodga. Ze zeggen dat je Reisgenoot aan het einde van je leven bij je terugkeert, met je samensmelt. Je ziet hem voor je staan, hij nodigt je uit, als voor een dans, en hand in hand stap je over de drempel van de dood. Met z'n tweeën. Nooit alleen...'

Grootvader staarde dwars door Jakob heen, alsof hij in een hoek van het duistere café, achter Jakobs rug, achter het biljart, z'n eigen sterfbed zag.

'Vandaar,' zei hij, 'dat ze je handen samenvouwen als je gestorven bent, je linker- en je rechterhand. Eén hand van jou, één van je Reisgenoot.'

Heel even was het stil in het café, toen schoof grootvader zijn stoel naar achteren en stond op.

'Tijd om af te rekenen.'

Hij raakte in gesprek met de man achter de bar. Jakob hoorde namen van mensen en straten. Grootvader informeerde naar vrienden en kennissen van vroeger; of ze nog leefden en of ze nog in Bakkum woonden. Jakob staarde naar buiten, zonder iets te zien, zonder echt naar het gesprek aan de bar te luisteren. Hij dacht aan de dromen van die nacht. Zijn droom van de tovenaars, grootvaders droom van de zwarte vogel. Hij grinnikte.

'Kom je?' klonk grootvaders stem achter hem.

Jakob schrok op uit zijn vrolijke gedachten. Hij volgde grootvader naar buiten. Op het plein stond een beeldje van een vrouw en een man die een boerendans uitvoerden.

'Grappig ding,' vond grootvader.

'Er woont aan de Heereweg ook een goeie schilder,' zei Jakob.

'Ik hoor het al,' zei grootvader, en wreef zich vergenoegd in de handen, 'ik ben weer thuis, dit is mijn plek. Ik voel het aan alles. Lang leve de kunst en de A-markt.'

'Grootvader,' vroeg Jakob toen ze verder liepen, 'heeft u nog last van die droom van vannacht?'

'Hè!' zei grootvader. 'Da's nu al de derde keer vandaag dat je me laat schrikken. Ik was die droom net kwijt...'

'Sorry,' zei Jakob, 'maar ik dacht...'

'Vertel op.'

'Nou, wat u zei... Dat we vanavond verder dromen, dezelfde dromen van vannacht, maar dat ze dan doorgaan en dat ze samenkomen, en dat we dan samen verder dromen...'

'Klinkt gezellig,' zei grootvader, 'maar dan wil ik toch wel eerst jouw droom horen.'

'Goed,' zei Jakob, 'maar hij is wel erg, érg kinderachtig...' Hij vertelde zijn droom en besloot: 'Nou, en in uw droom was uw moeder toch aan het opbellen?'

'Klopt.'

'Ik denk dat ze de tovenaars uit mijn droom opbelde. Om te vragen of we snel wilden komen. Wij komen natuurlijk meteen en toveren de grote vogel terug in zijn ware vorm, want het zijn de heksen, en we zorgen er ook nog voor dat ze van het dak donderen en morsdood op de Heereweg neerploffen.'

'En wij leven nog lang en gelukkig?'

'Ja,' zei Jakob.

'Geweldig,' zei grootvader. 'We doen het.'

Zo pratend wandelden ze naar de A-markt. Gezellig. Koek. En een ansichtkaart natuurlijk. Voor Eva.

De val

'Zo,' zei de verpleegster tegen de oude dame, 'als u nu even aan het raam gaat zitten, haal ik de stofzuiger door het huis.'

Ze hielp de oude dame in de gemakkelijke stoel en schikte de kussens in haar rug.

'Als ik klaar ben,' zei ze, 'zet ik u op het stoepje in de zon. Daar houdt u toch zo van?'

'Ja, ja,' mompelde de oude dame, 'daar houd ik van.'

Zij dacht dat de verpleegster niet goed bij haar hoofd was en de verpleegster dacht hetzelfde van de oude dame. Toch gingen zij al jaren vriendschappelijk met elkaar om, want ze waren alle twee erg lief.

'Kijk, kijk,' zei de oude dame, 'daar nadert weer zo'n kleine doerak... Hoe vaak heb ik jou al verteld over de karpermannen onder het bruggetje?'

'Verschrikkelijk vaak.'

'Ja, ja, dat zal wel. Maar hoe vaak heb je echt geluisterd?'

De oude dame woonde in een huis aan de bosrand. Vanwaar zij zat had ze uitzicht over een groot weiland en een smal pad dat vanuit het dorp het bos in liep. Over het pad naderde een kind. Het was nog ver, ze kon niet zien of het een jongen of een meisje was. Het kind droeg een felgele sjaal. Het slenterde en schopte steentjes van het pad.

'Van wie is dat er eentje?' vroeg de oude dame.

De verpleegster boog zich naar het raam.

'Dat kan ik hiervandaan niet zien.'

'Hij mag wel oppassen, als hij naar het meer gaat.'

'Zo te zien,' zei de verpleegster, 'is hij oud en wijs genoeg. Hij heeft vast al zwemdiploma's.'

'Diploma's helpen je niet als je op het bruggetje valt en je bloed sijpelt tussen de planken door het water in, waar de karpers zijn, die grijze monsters... Dan heb je niks aan diploma's. Dat weet je toch?'

'Ik weet het.'

'Maar weet je het nog precies?'

'Heel precies.'

'Ben jij dan niet bang dat dat kind iets overkomt?'

'Nee, natuurlijk niet.'

'Dan weet je het nog niet precies genoeg.'

Er gloeide een pretlichtje op in de ogen van de oude dame.

'Luister,' zei ze.

Ze was vastbesloten haar verhaal te vertellen. Al had de verpleegster het al duizend keer of meer gehoord, dat maakte niet uit. Het ging om het plezier van het vertellen.

'Ik luister,' zei de verpleegster.

Ze zette de stofzuiger aan en bewoog zich met grote voortvarendheid en een hoop herrie door de kamer. Ach, dacht de oude dame, misschien maak ik me zorgen om niets. Ze keek naar het kind dat slungelig naderbijkwam over het pad. Het was een jongen.

Jakob slenterde naar het bos, langs de Haagsche Weg. In zijn hand droeg hij een zak met brood. Voor de eenden, de waterhoentjes, de meeuwen en de meerkoeten in het duinmeertje. Maar toch vooral voor de vette karpers – die drijvende stofzuigers, zoals grootvader ze genoemd had. De aannemer had gelachen om die benaming, maar Jakob kende hem al. Tenminste, als ze in de dierentuin waren noemde grootvader krokodillen altijd drijvende bastognekoeken. Jakob had de pest in. Hij had willen werken, willen helpen, maar er was nog niets te doen voor hem.

En het was allemaal zo vrolijk begonnen: de wandeling naar het café die ze samen maakten, de uitsmijters die ze samen aten, het verhaal over de Reisgenoot dat grootvader vertelde, de zware tassen met boodschappen die ze samen naar huis zeulden, de kaart voor Eva die hij gekocht en beschreven had, heel dapper, met 'lieve' erop...

'Het weer is bijna te mooi om hard te werken,' zei grootvader. 'Weet je wat, als ik vanmiddag goede afspraken maak en de mannen weten wat ze moeten doen, knijpen wij er morgen of overmorgen fijn tussenuit. Wandelen we naar het strand.'

'Is dat ver?'

'Welnee.'

'Redt u dat nog wel?'

'Ha!' zei grootvader. 'Ik moet nog zien of *jij* het redt, met je stadse beentjes! Dit is mijn geboortegrond, ventje, die kent mij nog, die heet mij zacht verend welkom bij elke stap die ik zet. Wie zó gastvrij ontvangen wordt door de grond waarop hij loopt, die kan niet moe worden. In geen jaren! We gaan naar de noordelijke opgang. Ik ken de weg als mijn broekzak...'

Ja ja, dacht Jakob, er is anders ook heel wat veranderd in het dorp. Hij zei niets. Hij hield niet van wandelen, maar wandelingen met grootvader vielen wel mee; die gingen door de gesprekken die ze voerden vaak ongemerkt voorbij. Hij zou wel zien.

En toen kwamen de mannen.

Het huis gonsde ervan. Ze sloten het elektra aan, het gas, de telefoon, en Jakob deelde koeken uit. Grootvader zette koffie en maakte met de aannemer een rondgang door het huisje. Jakob liep achter ze aan, maar hij voelde zich al gauw zéér nutteloos. De lont in grootvaders geheugen was weer aangestoken en het vuurwerk spatte net als die ochtend zijn mond uit. Hij vertelde niet alleen wat er allemaal gebeuren móest in het huis, maar ook wat er gebeurd wás, toen hij hier woonde als jongen.

'En die wand moet uiteraard ook geïsoleerd.'

'Ook hout?'

'Ook hout. Alles hout. Daar stond mijn bed tegen, tegen die wand. Een opklapbed met een ombouw. Met mijn boeken erop. Mijn leesboeken wel te verstaan. En daar stond mijn bureautje. Dat had mijn vader zelf gemaakt van een oud keukentafeltje. Heel kunstig. Hij had het blad bedekt met kunstleer en de rest donkergeel geschilderd. En op het gedeelte van het blad tegen de muur had hij een extra plankje gemaakt, zodat ik daar dingen óp en ónder kon zetten. Zo leek het ding echt een beetje op een secretaire. Op het plankje stond mijn inktpot en eronder lagen mijn pennen, en dan zat er ook nog een lade in de tafel, daarin bewaarde ik mijn knikkers en mijn voetbalplaatjes en later toen ik wat ouder was foto's van filmsterren en...'

En zo ging het maar door: takke-takke-tak, boem-boem-baf... De aannemer knorde af en toe iets in grootvaders richting, maar echt luisteren deed hij niet. Hij nam de maat van wanden, vloeren en kozijnen en kroop op zijn knieën door het vertrek. Zijn broek was wat afgezakt en Jakob staarde naar het bovenste gedeelte van een ontzagwekkende witte kont. Hij voelde zich zeldzaam overbodig en verliet de kamer.

'En aan deze wand, ongeveer op deze hoogte,' raasde grootvader voort, 'hing het kastje met mijn studieboeken. Dat hangt nu nog bij jullie thuis, Jakob, in de schuur.'

Jakob hoorde het wel, maar reageerde niet. Hij was al beneden en had het net zo gemakkelijk níet kunnen horen. In de woonkamer ging hij op zijn luchtbed zitten en nam verveeld een boek van het stapeltje naast grootvaders bed. De mannen van het elektra en het gas waren goddank klaar en vertrokken. Hij bladerde het boek door, van achteren naar voren, en stuitte al meteen op een lijst met namen en begrippen. Jakob zocht onder de H en vond het Houtvolk:

'Volk van kleine lieden (Kennemerland, sporadisch ook op Waddeneilanden), die zelden langer worden dan een meter. Herkenbaar aan donkere huidskleur en een zilverachtige, pluizige haartooi. Het volk wordt geregeerd door een koningin. De mannen sterven op de dag van hun volwassenwording. Bekendste verhaal: de overwinning op de troepen van de Romeinse garnizoenscommandant (pag. 107-112).'

Dat verhaal zou Jakob moet kennen, volgens grootvader. Hij had zeker niet goed geluisterd toen het verteld werd, of was toen te jong en was het nu vergeten, want afgezien van wat beelden van strijdende Romeinen in zee, kon hij zich eigenlijk niets herinneren.

'Waarom ga je niet even het bos verkennen?' vroeg de stem van grootvader boven zijn hoofd.

Jakob keek op.

'Staat hier ook het verhaal van de wisselvrucht in?' vroeg hij en hield het boek op.

'Nee,' zei grootvader, 'dat heb ik in geen boek terug kunnen vinden. Maar waarom loop je niet naar het meertje – kun je zien waar het allemaal gebeurd is.'

'Ik ben toch meegekomen om te werken!'

'Morgen begint het echte werk pas.'

'En dan gaan we naar het strand!'

'Eerst werken, dan naar het strand. Of misschien hebben we het wel zó druk, dat we overmorgen pas naar het strand gaan.'

'Kan ik dan echt nérgens mee helpen?'

'Als je hier blijft, zul je je alleen maar vervelen.'

'Ik ga wel,' zei Jakob.

'Doe je wel een das om?'

'Heb ik niet bij me,' zei Jakob nukkig.

'Ik wel,' zei grootvader. 'Op de trap.'

Jakob ging de gang in, nam grootvaders gele sjaal van de trap, knoopte hem om en liep naar de voordeur.

'Ga niet te ver,' riep grootvader hem na. 'Je kunt verdwalen. En val niet op het bruggetje bij het meer! Groet de schuine boom beleefd en passeer de heksendriehoek altijd aan de linkerkant... Jakob, hoor je me?'

'Ik zal eraan denken,' mompelde Jakob en hij opende de deur.

De aannemer kwam de trap af en zei: 'Neem brood mee voor de vogels en de karpers.'

'Jakob, brood!' riep grootvader.

Jakob liep terug naar de woonkamer.

Grootvader stond boterhammen in een plastic zakje te proppen. Hij wendde zich tot de aannemer en vroeg: 'Zitten die karpers daar nog steeds?'

'Joekels. Het bruggetje stort 's zondags bijna in onder al die opa's en oma's die met hun kleinkinderen de mormels staan te voeren. Je zou over het stokbrood naar het eiland kunnen lopen als die beesten niet alles naar binnen wisten te werken.'

'Ha!' zei grootvader. 'Die drijvende stofzuigers!'

En daar moest de aannemer dus vreselijk om lachen...

Maar Jakob kende hem al.

En nu liep hij met de pest in zijn lijf en een lullig zakje boterham-men in zijn hand over de Haagsche Weg naar het bos. Hij was in over-treding, hij had geen duinkaart, maar het kon hem niet schelen. Groot-vader mocht de boete betalen als hij gepakt werd – die had hem het bos ingestuurd. Jakob liep met zijn hoofd naar de grond gebogen en trapte losse kiezels van de weg, met z'n linkervoet naar rechts, de volks-tuintjes in, met z'n rechtervoet naar links, het weiland op. Hij mokte en schopte tot zijn slechte humeur wegebde en hij om zich heen be-gon te kijken.

Over de wereld lag een warme gloed, al wat nog bloemen droeg ging in het geel gekleed. Jakob kende de namen niet, maar bekommerde zich er niet om. Hij zou ze morgen of overmorgen wel van grootvader te horen krijgen. Trouwens, je mocht iets toch wel mooi vinden ook als je de naam niet wist? Hier en daar wuifden grijze pluizenbollen in de wei. Paardebloemen – dat wist hij wel. Zouden de hoofden van het Houtvolk er zo uitzien?

Jakob keek naar de bosrand. Het mooie van de herfst was, zo had zijn moeder eens gezegd, dat de kleuren terugkwamen. In de lente viel het groen in duizend kleine tinten uiteen, in de zomer was alles pre-cies even groen, maar in de herfst gloeiden weer duizenden tinten bruin op. Jakob keek en zag dat het waar was. Soms leek het bruin zelfs licht te geven, zoals op de bladeren van de kastanje die hij aan het einde van het pad in de zon zag staan, in de tuin van een klein huisje aan de bos-rand.

Onder de boom zocht hij naar kastanjes, maar vond ze niet. Hij keek op en zag achter het raam van het huisje een oude vrouw. Ze keek naar hem. Jakob zwaaide. De vrouw zwaaide terug, zag hij, en hij buk-te zich om de enige kastanje die op het pad lag op te rapen.

Zoals hij loopt, dacht de oude dame, en om zich heen kijkt, zoals hij bukt, zoals hij zwaait...

'Christa!'

Ze moest nog twee keer roepen voor de verpleegster haar hoorde en de stofzuiger uitzette. De oude dame wenkte. De verpleegster kwam bij haar aan het raam. Samen keken ze naar de jongen die voor het huis stond en een kastanje langs zijn mouw wreef tot de vrucht glom. Hij stak de kastanje in zijn zak, keek op, zag de twee vrouwen achter het raam en zwaaide nogmaals. Deze keer was het de verpleegster die terugzwaaide. De jongen verdween in het bos.

'Ken jij die jongen?' vroeg de oude dame.

'Ik heb hem nog nooit gezien,' zei de verpleegster, 'en ik werk toch al zo'n dertig jaar op Bakkum.'

'Maar *ik* woon hier al bijna vierenzeventig jaar...'

Er doemden angstige beelden uit een ver verleden op in haar hoofd.

'Wat maakt dat nou uit?' vroeg de verpleegster verbaasd. 'Die jongen is misschien net dertien!'

'Ik weet niet wie hij is,' zei de oude dame peinzend. 'Maar ik ken hem. O ja, ik ken hem maar al te goed. En hij moet *niet* alleen het bos ingaan...'

'Het huis is zo aan kant, dan zet ik een kopje thee.'

'Wil jij hem tegenhouden, Christa? Ik kan hem onmogelijk inhalen, met die heup van mij.'

'Ik pieker er niet over. Zal-ie van het bruggetje vallen. Dat zeg ik net: hij zwemt vast als een rat. Als een karper!'

De verpleegster lachte.

'Lach niet zo dom!' zei de oude dame bitser dan ze gewoon was. 'Jij weet van niets, jij hebt nooit goed geluisterd. Als je eenmaal over de brug heen bent kun je lachen, dán pas – als kalkoenen ná de kerst...'

De verpleegster lachte nog harder en zette haar voet op de knop van de stofzuiger. Het geloei ging door de kamer. De oude dame keek de jongen na tot hij uit haar gezichtsveld verdween, het bos in. Ze kneep haar ogen stijf dicht en tientallen rimpels sprongen in haar gezicht, rimpels als de diepe voren die ze in haar geheugen ploegde, op zoek naar wat daar verborgen lag. Eerst waren het nog losse beelden: een karper kroop uit het water en nam de vorm aan van een wanstaltig

mens, een meisje stond naakt aan de oever van een meer, kleine fi-
guurtjes dansten onder een volle maan, het meisje viel op een brug en
bloed droop en droop en droop, tussen de planken door het water in,
een jongen rende weg, een karper kroop uit het water... De beelden
vielen op hun plaats en werden een verhaal.

Een verhaal kan lang duren als je het vertelt, maar in een paar seconden kun je een verhaal voor je zien, helemaal, van begin tot einde,
zonder dat je iets vergeet. Het zijn de woorden die er zo lang over doen.
Vooral als ze goed gekozen worden, met aandacht. Beelden zijn snel.
Nog vóór de verpleegster de stekker van de stofzuiger uit het stop-
contact trok had de oude dame alles teruggezien, het hele verhaal, háár
verhaal...

Drie druppels... dacht ze. Wie is toch die jongen, dat hij dit alles in
me oproept? Hij moet *niet* alleen het bos in. O god, nee! Maar waarom hij niet, en alle anderen wel...? Ze zag voor zich hoe de jongen over
het duinpad liep. Drie druppels... De soldaten zullen herrijzen en
traag, maar zeker van zichzelf, op pad gaan om alles te vernietigen wat
kleiner is dan zij... Ze zag hoe de jongen bij de brug kwam en het
brood uit het zakje nam, hoe de meeuwen toe kwamen gevlogen, hoe
de jongen op de brugleuning klom om dichter bij de meeuwen te zijn,
hoe hij...

Heel even dreigde ze in paniek te geraken, toen kwam er een ge-
ruststellende gedachte in haar op: hij is nog helemaal niet bij de brug!
Natuurlijk niet! Eerst zal hij in de Poort klimmen. Geen jongen gaat
onder de Poort door zonder er eerst in te klimmen. En terwijl ze voor
zich zag hoe de jongen in de schuine boom aan het begin van het duinpad klauterde, zakte ze achterover in de kussens en viel in een diepe
slaap. Haar mond zakte open en een wervelend briesje ontsnapte aan
haar lippen.

Vijftig meter verderop zat Jakob in de scheefste boom die hij ooit had
gezien. De boom was werkelijk verbijsterend schuin gegroeid. Je kon
er niet eens in klimmen, je moest erlangs omhoogkruipen. Na tien meter bereikte je de eerste takken. Daar zat Jakob. Hij keek om zich heen.

Naar het huisje van de oude vrouw aan de ene kant, naar het duinpad aan de andere kant. Hij bleef zitten tot hij vond dat het tijd was om naar beneden te klauteren en vervolgde zijn tocht over het duinpad, langs gele herfstbloemen, lage bruine eiken en kale duindoorns, heuveltje op, heuveltje af, tot hij het bruggetje zag waaronder karpers lagen te wachten op brood.

Jakob betrad de planken van de smalle houten brug en ogenblikkelijk kwamen van alle kanten vogels aanrennen over het water. Op snelle pootjes, met gespreide vleugels die ze nauwelijks bewogen, de borst vooruit als honderd-meterlopers die door de finish gaan – zo kwamen ze aanstuiven. Eenden, waterhoentjes, meerkoetjes. Uit een boomtop daalde een blauwe reiger neer, die statig plaatsnam op een paaltje. Hij schikte zijn grijze jas strak om zijn magere lijf en keek verwaand weg van de brug en het brood en het tumult in het water. Hij wachtte op de ober. Het ontbrak er nog maar aan dat hij alvast een servet om zijn hals knoopte. Van karpers geen spoor.

Maar toen Jakob brood op het water gooide, ontstonden daar kleine draaikolken en dook hier en daar een monsterlijke muil op uit de diepte, die slurpend het stuk brood wegkaapte voor de snavel van een eend. Al gauw krioelde het van de enorme vissen. Een blinde boogschutter zou met één schot zeker drie karpers aan zijn pijl rijgen. De zon bescheen de grauwe ruggen, de kille ogen en de baarddraden die als wormen naast de bekken kronkelden. Dit waren de meest walgelijke schepsels die Jakob ooit had gezien. Grootvader had gelijk met z'n 'drijvende stofzuigers'. Ze vraten alles, wist Jakob, bij voorkeur jonge, van hun moeder weggedobberde eendjes, en bij alles wat ze vraten maakten ze een geluid als van een stofzuigerslang waar een groot stuk papier in terecht is gekomen. Hij begon zijn brood heel secuur vlak voor de snavels van de vogels te gooien, maar altijd weer dook er een monsterlijke kop op die het brood naar binnen slorpte. Het was een oneerlijk spel, de vogels hadden nauwelijks een kans. Af en toe wierp Jakob beleefd een korst naar de reiger op zijn paal, maar die keurde het brood geen blik waardig.

Jakob schrok op van gekrijs vlak boven z'n hoofd. Waar ze vandaan kwamen wist hij niet, maar opeens hing de hemel vol meeuwen. Hij scheurde kleine stukjes van de boterhammen en wierp ze omhoog. Behendig als vleermuizen doken de vogels eropaf en snaaiden het voer uit de lucht. Dit was een eerlijker wedstrijd. Jakob gooide de stukken brood zo hoog hij maar kon, om de meeuwen alle tijd te geven toe te slaan. Vingen ze, dan hadden zij een punt, misten ze, dan ging het punt naar de karpers. Tot Jakobs grote genoegen stonden de meeuwen al snel tientallen punten voor. Jakob klom op de brugleuning om nóg hoger te kunnen gooien.

Opeens voelde hij een venijnig pijntje in zijn linkerhand, waarmee hij het zakje brood vasthield. Een koolmeesje was neergestreken op zijn wijsvinger en hield zich daar met zijn klauwtjes stevig vast. Kwam dit kleine diertje ook al bedelen om brood? Nee, het schonk geen enkele aandacht aan de korsten in de zak en keek Jakob met zijn kleine kraaloogjes recht aan. Razendsnel begon het zijn kopje te schudden. Jakob stapte van de brugleuning. Totaal verbouwereerd. Nee, *ontroerd* was een beter woord. Heel voorzichtig bracht hij de wijsvinger van zijn rechterhand naar het kleine kopje. Hij wilde het aaien. Maar net voor hij het vogeltje kon aanraken, verdween het. Het vloog niet weg, het verdween in het niets. Alsof het oploste in de lucht... Tenminste, zo leek het. Misschien heb ik gewoon iets te traag met m'n ogen geknipperd, dacht Jakob. Hij schudde zijn hoofd als om wakker te worden en keek om zich heen. Honderden vogels zag hij, maar een koolmeesje was er niet bij.

Over het meer voer een roeibootje met twee vissers aan boord. De mannen stuurden hun bootje naar de overkant en legden het met een touw vast aan de takken van een over het water hangende wilg. Ze gingen aan wal en verdwenen op het eiland... Het eiland! Het eiland waarop de boom stond waaraan de vruchten voor de Goden groeiden!

Daar lag het. Honderd meter verderop. Door de broodvreetwedstrijd tussen de meeuwen en de karpers en zijn idiote ontmoeting met het meesje was hij het eiland helemaal vergeten. Je kon het ook bijna niet zien. Alleen als je heel goed keek zag je dat de plek waar de vissers aan wal waren gegaan door een smal stukje water gescheiden werd van het vasteland. Jakob vergat op slag het meesje. Hij dacht: Wáár zou die jongen uit grootvaders verhaal in zijn bootje van wal zijn gestoken? Hier, bij de brug, of daar, aan de overkant, waar het water tussen land en eiland het smalst is? Waar het ook is, dáár moet de vrucht voor de Goden liggen; de versteende vrucht met de afdruk van de tanden van de verliefden...

Hij keek aandachtig om zich heen, maar zag niets dat op een versteende vrucht leek. Hij liep het bruggetje af, dieper het bos in, langs het meer, en werd van de oever gescheiden door prikkeldraad. Maar waar het pad wegboog van het meer was een houten hekje. Er hing een hangslot aan en een bordje meldde dat het terrein achter de draad alleen toegankelijk was voor leden van de Visvereniging. Jakob vroeg zich af of de karpers ook lid waren van de Visvereniging en morrelde aan het slot. Het gaf niet mee, dus klom hij over het hek en liep naar het meer. Hij was nog niet aan het water of een stem riep:

'Wat voer jij daar uit?'

Ze moeten me wel hebben vandaag, dacht Jakob. Hij draaide zich om. Op het bospad, achter het prikkeldraad, stond een boswachter. Een echte. Met een groen pak aan zijn lijf en een fiets aan zijn hand.

'Gewoon, kijken,' piepte Jakob.

Zijn hart sloeg hoog in zijn keel. Hij was doodsbang voor mannen in uniform. Als hij in Amsterdam in de tram zat, en er kwamen controleurs binnen, en hij hád een kaartje, dan nóg kreeg hij een vuurrode kop. En nu dit... Géén kaartje voor de plekken waar je mét een kaartje wel mocht komen, en betrapt op een plek waar je zelfs mét een kaartje niet mocht komen! De boswachter wenkte met zijn kin. Jakob klom over het hek en bleef staan tussen de bomen naast het pad, vijf meter bij de man vandaan.

'Mag ik je duinkaart even zien?'

Jakob haalde zijn schouders op.

'Die heb je niet?'

De boswachter knoopte zijn borstzakje open en haalde een pen en een opschrijfboekje tevoorschijn.

'Hoe heet je?'

Jakob noemde zijn naam.

'Adres?'

Jakob gaf grootvaders adres. Per slot van rekening was het allemaal grootvaders schuld. Hij had Jakob zomaar opeens de duinen ingestuurd. Zonder kaart.

'Heereweg? Hier om de hoek?' vroeg de boswachter. 'En dan geen duinkaart?'

Hij schreef en keek niet op. Jakob bestudeerde de man aandachtig. Uniform, pet, snor. Alle mannen in uniform hadden een snor. Dat was hem al vaker opgevallen. Alsof er, als je een snor liet staan, een uniform uit je lichaam groeide. En een pet uit je kop. Of was het andersom? Dat een pet zó hard op je haar drukte dat het je neus uitkwam? Jakob begon te grijnzen. Wat kon hem eigenlijk gebeuren? De man kon hem hooguit een schop onder zijn kont geven en het bos uitsturen. En wat dan? Dan was hij tenminste mooi op tijd thuis. Die gedachte stelde Jakob gerust en hij fleurde helemáál op toen hij zag dat op iedere glimmend gepoetste knoop van het uniform de afbeelding van een eekhoorntje stond... Zijn angst sloeg om in vrolijkheid. Slijmen, dacht hij, slijmen helpt. Hij raapte al zijn moed bij elkaar en zei:

'Ik deed eigenlijk een wetenschappelijk onderzoek, meneer. Mijn grootvader heeft mij gisteren een verhaal verteld over het eiland daar. Dat daar vroeger, eeuwen geleden, een boom stond met vruchten voor de Goden. En toen op een keer ging een jongen erheen in een bootje...'

'Zal ik *jou* eens wat wetenschappelijks vertellen?' zei de boswachter. 'Dit meertje is nog maar net zestig jaar oud.'

Wát...? dacht Jakob. Ha! Het verhaal van de wisselvrucht heeft grootvader dus zelf verzonnen! De oude schurk! Nu even de bewijzen verzamelen. Hij keek de boswachter zo verbaasd mogelijk aan en vroeg: 'Echt wáár, meneer? Hoe kán dat nou? Is er zestig jaar geleden zomaar opeens een meertje ontstaan?'

Het slijmen hielp. De man rechtte zijn rug.

'Het is gegraven,' zei hij. 'Aan het begin van deze eeuw was er een grote behoefte aan duinzand, voor allerlei grote bouwwerken. En dit

meertje, dat eigenlijk Het Meertje van Vogelenzang heet, werd onder
toezicht van de Nederlandse Heidemaatschappij, naar ontwerp van
PWN-rentmeester Vogelenzang gerealiseerd. Ook Jac. P. Thijsse heeft
bij dit werk, dat in 1933 startte, geadviseerd. Het zand werd gebruikt
voor de provinciale weg Bakkum – Limmen – Uitgeest – Zaanstreek.
Ook hier was de zandbehoefte dus de feitelijke aanleiding...'

De zandbehoefte! dacht Jakob. Da's een mooi woord. Dat zal ik
grootvader eens stevig onder zijn neus wrijven! Alles verzonnen! Hoe
durf-ie! Niks geen wisselvruchten, niks geen verliefde jongens in boot-
jes, het was gewoon de zandbehoefte!

'Er verdwenen tweehonderdduizend kubieke meters zand,' vertelde
de boswachter. 'Toen het grondwater werd bereikt, ruim één meter boven NAP, werden pompen geslagen en groef men dieper. Zo'n ander-
halve meter diep, tot op de oude zeebodem, zoals bleek uit de schelp-
resten. Een locomotief trok een lange reeks kiepwagens, die in de
diepte met handkracht volgeworpen waren met nat zand, naar de
plaats van bestemming...'

Ik wil naar huis, dacht Jakob. Nu. En dan ben ik benieuwd welk
verhaal grootvader me dán nog durft te vertellen. Gaf die man me maar
een schop onder m'n kont, dan was ik er tenminste vanaf. Maar de
boswachter wilde zijn lesje afdraaien. Zijn kop glom nog meer dan zijn
knopen. Jakob durfde hem niet te onderbreken. Hij bleef staan en luisterde.

'Het meer werd drie hectaren groot,' vertelde de boswachter, 'met
de oevers mee zelfs vijf. Orchideeën, parnassia en andere duinmoeras-
planten ontwikkelden zich daar spontaan. Uit het Zwanenwater bij
Callantsoog werden bovendien diverse water- en moerasplanten aan-
gevoerd. Op het eilandje in het meer vestigde zich al snel een visdie-
venkolonie, die uitgroeide tot wel tweehonderd paar in 1939.'

'Dat is véél, hè meneer?' zei Jakob. 'Tweehonderd...'

'D'r is bijna niets van over,' zei de boswachter en verscheurde de be-
keuring. 'Zie je wat ik doe?'

'Ja, meneer.'

'Als jouw opa nou eens hetzelfde deed met die mooie verhaaltjes van hem, dan zou hij misschien op het idee komen om een duinkaart voor je te kopen.'

'Dank u wel, meneer,' zei Jakob.

'Zorg voor een kaart,' zei de boswachter.

Hij stapte op zijn fiets en reed weg.

'Ik zal het mijn grootvader zeggen, meneer,' riep Jakob hem na. 'Dank u wel.'

Slijmen, dacht hij, slijmen helpt geweldig. Maar je krijgt wel een stevige hekel aan jezelf: 'Ik zal het mijn grootvader zeggen, meneer...' Nou en of ik het mijn grootvader zal zeggen! Het Meertje van Vogelenzang. Gegraven in 1933. Zandbehoefte. Hij grijnsde en begon te fluiten. Hij liep langs de scheve boom en het huis van de oude vrouw, die in haar luie stoel voor het raam zat en vrolijk naar hem zwaaide, en banjerde langs de Haagsche Weg terug naar het dorp.

De aannemer deed open.

'Niet schrikken,' zei hij, 'er is iets met je opa gebeurd, maar het is niet erg.'

Voor Jakob iets kon vragen verdween de man door het gangetje naar de woonkamer. Jakob aarzelde in de gang. Het is niet erg, dacht hij. Het is niet erg. Maar blijkbaar erg genoeg om van te schrikken als je niet gewaarschuwd bent.

'Jakob!'

De stem van grootvader. Hij kon blijkbaar nog praten. Langzaam liep Jakob door de gang naar de deur van de woonkamer. Hij keek om de hoek.

'Ah, daar ben je,' zei grootvader.

Hij lag op zijn rug op het luchtbed, gekleed in trui en onderbroek. Een jonge vrouw zat geknield naast hem en wikkelde met snelle handen verband om zijn dijbeen, van zijn knie tot aan zijn lies en terug. Grootvader glimlachte.

'Kijk, dokter,' zei hij, 'dat is nu mijn kleinzoon Jakob... Met mijn mooie gele sjaal.'

De vrouw keek op van haar werk en knikte Jakob vriendelijk toe. Grootvader lachte nu breeduit en stak zijn duim op. Alles onder controle, betekende dat. Toen zag Jakob grootvaders broek. De broek lag verfomfaaid en gescheurd aan het voeteneinde van het luchtbed en was doordrenkt van bloed. Iets verderop lagen twee sokken die al net zo rood doorbloed waren. Grootvader volgde zijn blik.

'Ik ben van het dak gegleden,' legde hij uit. 'Aannemer Sturris hier heeft me gered.'

'Maar,' zei Jakob, en dat was het eerste woord sinds zijn terugkeer uit het bos dat hij wist uit te brengen, 'maar hoe kwam dat dan?'

'Door de zwaartekracht, denk ik,' zei grootvader.

Hij grijnsde breed. Hij scheen het nogal lollig te vinden allemaal. Of lag hij zich groot te houden, om zijn kleinzoon niet aan het schrikken te maken? Je kon zoiets nooit goed zien aan grote mensen. Aan jou zagen ze altijd alles, maar omgekeerd...? Misschien probeerde hij wel indruk te maken op de dokter.

'Er gleed een dakpan weg onder zijn voet,' vertelde de aannemer. 'Ik zag hem zo naar beneden glibberen. Voor ik het wist hing hij met twee handen aan de dakgoot. Het duurde nog een hele poos voor ik de ladder naast hem had. 't Is een taaie, die opa van je. Hij kan lang hangen.'

Jakob zag het voor zich.

'Maar al dat bloed?'

'Er was een punt zink omhooggebogen in de dakgoot,' zei grootvader. 'Daar gleed ik met mijn been overheen. Ik voelde het erin snijden en ik wentelde me af tijdens de val, maar toen ik de dakgoot vastgreep, greep ik met mijn hand precies in die punt.'

Hij liet zijn rechterhand zien. Die was ook omzwachteld.

'Gadverdamme,' zei Jakob.

Hij klemde zijn tanden op elkaar en zoog sissend lucht naar binnen. Hij *voelde* bijna wat grootvader gevoeld had.

'Maar nu zit alles weer netjes dicht,' zei de dokter.

Ze stond op, rommelde in haar tas, en nam er twee kleine doosjes uit die ze op het aanrecht zette.

'Voor als de verdoving uitgewerkt is,' zei ze. 'Het zal nog wel even pijn doen.'

Ze wendde zich tot Jakob.

'Red jij je alleen? Met je opa? Misschien is het verstandig om je ouders te bellen.'

Jakob knikte. Hij stond te trillen op zijn benen en had er nog helemaal niet aan gedacht dat *hij* grootvader nu verzorgen moest.

Nu en vannacht. Of z'n ouders bellen.

'Ik bak wel een ei,' zei hij, 'dat kan ik.'

De dokter glimlachte.

'Daar vertrouw ik op,' zei ze. 'Je weet waar de pillen liggen en als je écht niet meer weet wat je doen moet, kun je me altijd bellen.'

Ze gaf Jakob een kaartje met haar adres en telefoonnummer.

'Maar alles is nu toch weer goed?' vroeg Jakob.

'Jawel, maar je opa zou koorts kunnen krijgen. Ik zeg niet dát hij koorts krijgt, ik zeg alleen dat het kan. Daar helpen de pillen trouwens ook tegen.'

'Ik heb nog een flesje cognac staan,' zei grootvader.

'Daar zou ik maar voorzichtig mee zijn,' zei de dokter, 'in combinatie met het medicijn.'

'Eén slaapmutsje?'

'Twee,' zei de dokter streng. 'Als u daarna niet gaat autorijden.'

'Beloofd,' zei grootvader.

Hij knipoogde. Hij vond haar zeker leuk. De dokter reageerde niet. Ze vroeg om een vuilniszak en schoof daar heel behendig, zonder ze met haar blote handen aan te raken, de bebloede broek en sokken in.

'Hé hé!' riep grootvader, en hij werkte zich met zijn ellebogen half overeind. 'Die sokken hoeven niet weg, die zijn niet stuk, die zet ik straks in een sopje.'

De aannemer lachte daverend.

'Trouwens,' zei grootvader, 'die broek is de enige die ik bij me heb...'

De aannemer kwam nu werkelijk niet meer bij. Die man had de dag van zijn leven. De dokter gaf Jakob de zak.

'Stop maar in de grijze bak,' zei ze.

'Nou,' schaterde de aannemer, 'er zit zóveel natuurlijk afval in, ze kunnen net zo goed in de groene bak.'

De dokter nam afscheid. Ze beloofde de volgende ochtend terug te komen. Met krukken. Grootvader mocht zijn gewonde been de eerste dagen niet belasten.

De aannemer vertrok samen met de dokter.

'Zo,' zei grootvader toen ze de buitendeur hoorden dichtslaan, 'en nu wij, maatje. Hoe was het in het bos?'

'Leuk,' zei Jakob.

Hij had geen zin om te vertellen over de vogels en de karpers, en het verhaal van de boswachter kon ook wachten, want dat wilde hij zéér uitgebreid vertellen. Daar had hij tijd voor nodig.

'Wat is er nu precies met uw been?'

'Vleeswond. Maar die heeft ze stevig dichtgenaaid. Wat een verschrikkelijk aardige vrouw.'

'Ze had een trouwring om,' zei Jakob.

Van puur plezier sloeg grootvader bijna op zijn gewonde dij. Er wordt wat afgelachen vandaag, dacht Jakob somber. Misschien zou er iedere dag iemand van het dak moeten vallen, daar werd het leven een stuk zonniger van.

'Wil je mij de cognac aangeven?' vroeg grootvader. 'Neem zelf ook iets.'

Jakob droeg glazen en cognac en cola van het aanrecht naar de luchtbedden. Hij ging tegenover grootvader zitten.

'Neemt u nu al een slaapmutsje?'

'Als een man geen broek en sokken meer heeft, dan neemt een man een slaapmuts. Proost.'

Ze tikten de glazen tegen elkaar en dronken.

'Bel je vader eens,' zei grootvader, 'de telefoon doet het. Vraag of hij morgen een broek komt brengen.'

Jakob nam de telefoon en toetste het nummer in. Zijn moeder nam op.

'Hé lieverd!' riep ze blij. 'Hoe is het bij jullie?'

'Gezellig,' zei Jakob. 'Grootvader is van het dak gevallen en nu zit hij met een glaasje cognac in zijn hand blij om zich heen te kijken op zijn luchtbed.'

'Is hij zo vroeg al aan de cognac?'

'Ja, en hij vraagt of een van jullie morgen langs wil komen met een broek. Die van hem zat vol bloed en scheuren.'

'Maar wat is er dan...?'

'Twee!' riep grootvader.

'Twee broeken,' zei Jakob.

'Maar Jakob, luister nu eens even, wat is er...?'

'En sokken!' riep grootvader.

'En sokken,' zei Jakob.

'Maar hij is toch niet echt van het *dak* gevallen?'

'Bijna,' zei Jakob, en hij vertelde het hele verhaal.

'Maar dan komen we nú even langs!'

'Dan komen ze nu even langs,' zei Jakob tegen grootvader.

'Hoeft niet,' zei grootvader. 'Morgen is vroeg genoeg voor een broek.'

'Hoeft niet,' zei Jakob.

'Maar wat eten jullie dan?'

'Gebakken ei,' zei Jakob. 'Dat kan ik.'

'Ik weet het niet,' zei zijn moeder. 'Geef je grootvader zelf eens.'

Jakob gaf de hoorn aan grootvader, die hem aannam met zijn gezonde linkerhand en meteen enorm begon te kreunen:

'Ai, ai, mijn been... Wáár is mijn been? Jakob, jongen, geef me mijn been terug... Of heb je het al in de groene bak gegooid...? Ai, ai, mijn arme been...'

Grootvader was even stil, luisterde aandachtig, keek Jakob toen verbaasd aan en gaf de hoorn terug.

'Nu wil ze weer met jóu spreken!'

'Hoi,' zei Jakob in de hoorn.

'Moet je horen, Jakob,' zei ze, 'zo te horen is alles piekfijn in orde met je grootvader. Ik kom morgen langs met broeken en sokken, dan laat ik Liv wel overblijven op school. Ik kom om een uur of elf. Goed?'

'Tuurlijk,' zei Jakob.

'En als er vóór die tijd wat is, moet je bellen.'

'Doe ik.'

'En wees maar lief voor je idiote grootvader. Strijk hem af en toe maar eens over z'n ouwe bolletje. Dikke zoen...?'

Jakob smakte een kusje in de hoorn en zijn moeder deed hetzelfde aan de andere kant van de lijn.

'Tot morgen. Slaap lekker.'

'Tot morgen.'

Jakob legde de hoorn terug op het toestel.

'Nu lust ik wel twee gebakken eieren,' zei grootvader.

Jakob stond op en liep naar het aanrecht. Maar natuurlijk was er geen koekenpan in huis. Alleen één lullig klein steelpannetje. Grootvader beweerde dat je daarin, één voor één, ook eieren kon bakken, maar dat bleek geen succes. Jakob kreeg het eerste ei dat hij gebakken had met geen mogelijkheid losgebikt van de bodem. Daarom kookte hij de andere eieren maar, in hetzelfde pannetje, in de hoop dat het gebakken ei in het hete water op zou lossen. Dat lukte niet, maar de gekookte eieren smaakten goed. Na het eten wilde grootvader een pil en een glas cognac. Jakob kreeg een extra glas cider als dank voor de goede zorgen. Hij had het eten klaargemaakt, afgewassen en de haard aangestoken. Het was allemaal heel genoeglijk.

Nu! dacht Jakob, en hij vertelde van zijn avonturen in het bos: het voeren van de dieren, het koolmeesje op zijn vinger, de ontmoeting met de boswachter, en de ware geschiedenis van het Meertje van Vogelenzang.

'Dus,' besloot hij zijn relaas, 'dat verhaal over die wisselvrucht, dat kan helemaal niet. Dat heeft u zelf verzonnen, want het meertje is nog maar zestig jaar oud. Toen is het pas gegraven. Uit zandbehoefte...'

'Ik heb het verhaal niet zelf verzonnen,' zei grootvader, 'ik heb het gehoord van mijn buurmeisje, kort nadat het meertje was gegraven. Ik wéét dat het gegraven is, ik heb erbij staan kijken. Het viaduct over het spoor hier vlakbij op de weg naar Limmen is gemaakt van dat zand, ik weet er alles van. En toch, toen mijn buurmeisje mij het verhaal vertelde over de boom waaraan de vruchten voor de Goden groeien, die eeuwen geleden op het eiland had gestaan, geloofde ik het meteen. Ik geloofde alles wat ze mij vertelde.'

Het was donker geworden. Er was nu elektriciteit in het huisje, maar er waren nog geen lampen. Alleen twee kale peertjes aan het plafond. Die had Jakob niet aangedaan. Zolang er geen gordijnen voor de ramen hingen, leek het vuur in de haard hem meer dan voldoende. Het licht van de vlammen danste over grootvaders vermoeide gezicht.

'Waarom gaat u niet liggen?' zei Jakob.

'Je hebt gelijk,' zei grootvader. 'Wil je me nog één zo'n pilletje geven en één drupje cognac? Daarop kom ik de nacht waarschijnlijk wel door.'

'Heeft u pijn?'

'Nog niet.'

Grootvader ging liggen, Jakob bracht hem het gevraagde en plofte neer op zijn luchtbed.

'Let jij op het vuur?' vroeg grootvader.

Jakob knikte. Hij nam Jip uit zijn tas en legde hem op zijn kussen.

'Ha, die Jip,' zei grootvader, en gaf zichzelf met een hoog stemmetje antwoord: 'Welterusten, grootvader.'

'Welterusten, Jip, welterusten, Jakob,' zei grootvader met zijn gewone stem en sloot zijn ogen.

Jakob staarde in het vuur. Hij was ook moe, maar kon nog niet gaan slapen. Alles wat er die dag gebeurd was, schaatste rondjes door zijn hoofd, steeds opnieuw kwam alles langs, met een ijzeren regelmaat, keer op keer. Hij veegde de gloeiende sintels in de haard bijeen.

'Weet je, Jakob,' mompelde grootvader opeens vanuit zijn kussen, 'verhalen spelen zich af in een andere wereld, een wereld waarin dingen die morgen gebouwd worden al eeuwenlang bestaan en dingen die gisteren gebouwd werden nooit zullen bestaan. Dat vertelde ik je toch, vanochtend op zolder? Het verhaal van het Houtvolk kan zich nu, hier, op dit moment afspelen. Het verhaal van de wisselvrucht net zo. Alleen, wij zien het niet. Wij hebben de verkeerde ogen... Ruimte en tijd bestaan wel in verhalen, maar ze dwarrelen, ze zwalken – zoals alles in mijn hoofd nu zwalkt.'

Zijn gemompel ging over in zacht snurken. Jakob kroop in zijn slaapzak en trok Jip dicht tegen zich aan. Het vuur in de haard smeulde. Alles was veilig, alles was goed. Toch duurde het lang voor Jakob sliep.

Midden in de nacht werd hij wakker van geluiden op het luchtbed naast hem. Hij keek op zijn horloge. Tien voor drie. Hij hoorde grootvader woelen en kermen en mompelen. Jakob knipte zijn zaklantaarn aan. Om grootvader niet aan het schrikken te maken liet hij het licht voorzichtig langs het woelende lijf glijden, van de voeten naar het gewonde been, naar de omzwachtelde hand, langs de zwaar hijgende borst... Toen het licht op grootvaders hoofd viel stokte de adem in Jakobs keel. Grootvaders haar was drijfnat, het zweet droop van zijn voorhoofd, zijn mond stond open en trok spastisch alle kanten op, en zijn ogen staarden als bezeten naar het plafond. Jakob knipte snel het licht weer uit.

De koorts was gekomen.

Wat nu?

De pillen!

Pas bij het aanrecht durfde Jakob de lantaarn weer aan te doen. Hij maakte een punt van de vaatdoek nat onder de kraan, vulde een glas met water en nam een pil uit een doosje. Hij liep terug naar de luchtbedden en knielde neer. Hij depte grootvaders voorhoofd met de koude doek, in de hoop hem te kalmeren. Maar het tegendeel gebeurde. Grootvader veerde overeind, sloeg om zich heen en siste: 'Lach niet!'

Jakob deinsde achteruit.

'Sta daar niet te lachen!' schreeuwde grootvader. 'Geef me mijn kleren terug! Ik heb het koud!'

Hij had de slaapzak naar zijn voeteneinde gewoeld.

Voorzichtig kroop Jakob naderbij, de pil tussen duim en wijsvinger, het glas water in zijn andere hand. Grootvader was even stil. Jakob stak de pil in grootvaders mond en bracht het glas water er snel achteraan. Niet snel genoeg. Grootvader haalde uit en sloeg hem het glas uit handen. Het water kletste op de vloer, het glas rolde ongebroken weg. De pil werd uitgespuugd.

'Ik wil niet dat je me zo ziet!' krijste grootvader. 'Geef me mijn kleren terug!'

'Ik ben het,' zei Jakob. 'Ik, Jakob.'

'Ik wil je niet meer kennen! Ik houd niet van je geintjes! Ik wil hier weg!'

Jakob sprong op en rende naar de schakelaar van het licht. Het felle schijnsel uit de lampen bracht grootvader tot bedaren. Hij leek te verstijven in zijn zittende houding. Het zweet droop nog wel langs zijn gezicht, en zijn haar piekte alle kanten op, maar hij zweeg.

Zoals hij daar zat... De wanhoop schoot in Jakob omhoog. Zijn adem schokte door z'n keel naar binnen, hij wierp z'n hoofd in zijn nek en hij huilde. Hij kneep z'n ogen stijf dicht, maar de tranen gleden al heet langs z'n neus; hij klemde z'n tanden op elkaar om toch vooral geen geluid te maken, maar een snik ontsnapte aan zijn keel.

'Jakob?' vroeg de stem van grootvader.

Jakob opende zijn ogen en beet op zijn onderlip om tot rust te komen. De adem schokte nu naar buiten. Snel veegde hij de tranen weg en liep naar grootvader. Hij bracht zijn gezicht vlak voor dat van de oude man en keek hem recht in de ogen.

'Jakob, waar ben ik toch?'

'In Bakkum.'

'In Bakkum?'

'Ja, net als vroeger. Wacht...'

Jakob wilde opstaan om een nieuwe pil te pakken, maar er veranderde iets in grootvaders ogen. Ze keken hem niet meer aan, het leek of ze door hem héén keken... En opeens zwiepte de arm van grootvader door de lucht en raakte Jakob. Jakob viel achterover en zijn hoofd bonsde zwaar tegen de vloer.

'Ik wacht niet! Ik ga...! Dan maar zo!'

Jakob richtte zich op en zag tot zijn afgrijzen dat grootvader zwaar begon te hijgen. Opeens wist hij heel zeker dat zijn grootvader aan het doodgaan was. Wat bedoelde hij anders met 'Ik ga'? En dat hijgen...

Jakob sprong op en rende naar de telefoon. Zijn ouders konden nooit meer op tijd komen, hij moest de dokter bellen. Hij vond haar kaartje en toetste het nummer in.

Ze nam niet op! Eén keer ging de zoemer over, twee keer, vijf keer...

Grootvader liet zich achterover op zijn kussen vallen en begon weer te krijsen: 'Nooit! Nooit wil ik je meer zien!'

Acht keer ging de zoemer over, toen werd er opgenomen.

'Ja?'

Jakob noemde zijn naam en zei: 'Ik geloof dat mijn grootvader doodgaat.'

Dat had hij niet moeten zeggen. De angst en de paniek welden weer in hem op en hij snikte het uit. 'Grootvader heeft zó'n koorts...! Hij zweet en hij gilt en hij praat zo raar.'

'Wondkoorts,' zei de dokter. 'Dat kan geen kwaad, dat had ik je toch gezegd? Geef hem...'

'Jij kunt niet vliegen!' krijste grootvader. 'Jij kunt helemaal niet vliegen! Donder toch op! Jullie alle twee!'

'Is dat je opa?' vroeg de dokter.

'Hij was net zó boos op me,' snikte Jakob.

'Geef hem maar een pil, je weet wel, die ik vanmiddag bij jullie heb achtergelaten. Twee mag ook,' zei de dokter.

'Maar hij wil niks!' riep Jakob. 'Als ik iets probeer begint hij om zich heen te slaan! Ik héb hem zo'n pil gegeven, maar die heeft hij weer uitgespuugd!'

'Neem er dan een uit het andere doosje. Ach nee, dat kan niet. Die moeten rectaal...'

'Grootvader doet écht heel raar!' riep Jakob. 'Hij heeft het soms zo koud, dan schreeuwt hij: "Ik wil mijn kleren terug en kijk niet zo naar me..." En hij ligt gewoon in z'n trui in bed, zoals toen u...'

'Donder op!' brulde grootvader.

'Hoorde u dat?' vroeg Jakob.

'Ja,' zei de dokter. 'Je hebt gelijk. Ik stuur iemand naar je toe. En als dat niet lukt kom ik zelf. Binnen tien minuten is er iemand bij je.'

De dokter verbrak de verbinding voor Jakob haar kon bedanken. Het was stil. Grootvader zweeg, alsof hij de *dokter* gezegd had op te donderen en tevreden kon slapen nu hij dacht dat het gelukt was. Hij snurkte niet eens meer.

Jakob deed het licht uit en ging op zijn luchtbed zitten. Ook buiten was het stil. Er kwamen geen auto's voorbij. De nacht had zich als een grote verstikkende klauw over de aarde gelegd.

Jij kunt niet vliegen. Jij kunt helemaal niet vliegen! Donder op... Grootvaders woorden gonsden door Jakobs hoofd. Donder op... Wíe moest er opdonderen? Waar ijlde grootvader over? Wat gebeurde er in zijn koortsdromen? Wie zag hij voor zich? Wie zag hij vliegen? Grandmère? Of...

Het was alsof de angst als water de kamer binnenstroomde. Jakob moest opstaan om lucht te kunnen krijgen. Hij ademde diep en voelde de beklemming op zijn borst. Een verschrikkelijke gedachte had bezit van hem genomen. Hij *wist* wie grootvader gezien had...

De Reisgenoot!

Maar dat betekende dat hij écht – wat Jakob net alleen nog maar vermoedde – dat hij écht aan het einde van zijn leven was gekomen! Dat hij werkelijk op sterven lag...! Hoe had grootvader het gezegd? Je ziet je Reisgenoot maar drie keer in je leven: twee keer vlak na je geboorte, de derde keer als hij naar je terugkeert om samen met je te sterven...

Jakob richtte zijn zaklantaarn op grootvaders gezicht. Het lieve oude hoofd begon te schudden. Grootvader *was* nog niet dood. En hij *wilde* ook niet dood. Hij had de Reisgenoot gezien en 'Donder op' geroepen. Hij wilde blijven leven! Jakob hoorde grootvaders stem in zijn hoofd: 'Ik droom niet graag van zwarte vogels.' De vogel was dus toch voor hém gekomen...

Grootvader haalde nog steeds adem. Heel stil, véél te stil, en net overwoog Jakob om toch maar zijn ouders te bellen, toen er aan het raam geklopt werd. Buiten stond een schim te gebaren. Jakob sprong op en rende naar de deur.

Daarna ging alles heel snel. De schim was een verpleegster, die binnenkwam met een stretcher onder haar ene en een slaapzak onder haar andere arm. Ze stelde zich voor als Christa, zei dat ze elkaar al kenden omdat ze die middag naar elkaar gezwaaid hadden, beloofde goed voor grootvader te zorgen, bezwoer Jakob niet ongerust te zijn, en zond hem met een aai over zijn hoofd naar boven, om in een van de kale kamers te gaan slapen. Jakob voelde dat hij stond te tollen op zijn benen en deed alles wat ze zei.

Alleen van slapen kwam niets. Hij dook diep weg in zijn slaapzak en drukte Jip aan zijn hart, maar luisterde zonder het te willen toch naar de geluiden beneden. De verpleegster liep neuriënd rond; hij hoorde aan haar voetstappen precies waar ze was. Heel even hoorde hij niets. Nu is ze bij grootvader, wist hij, nu geeft ze hem een pil, nu wordt hij wakker, nu begint hij te schreeuwen. Hij had gelijk.

'Donder op!' schreeuwde grootvaders stem. 'Ik wil niet dat je me zo ziet!'

Jakob kromp in elkaar. Alles begint opnieuw, dacht hij. Ik mag niet gaan slapen, ik moet wakker blijven, wat er ook gebeurt. Als grootvader sterft moet er iemand bij hem zijn, iemand die hij kent, iemand die hij vertrouwt, iemand van de familie... Iemand die zijn hand vast kan houden.

Hij was toch in slaap gevallen, want opeens stroomde zonlicht door het raam naar binnen. Hij hoorde stemmen in de gang. De stem van de verpleegster en de stem van een oude vrouw:

'Ik was hier kind aan huis.'

'Ik weet het,' zei de verpleegster, 'ik weet het. U heeft me dat vaak verteld. En ik zou het fijn gevonden hebben als u gewoon thuisgebleven was. Ik heb gezegd dat ik vanmiddag zou komen... U had kunnen vallen en weer iets breken. Als u wilt wandelen, doet u dat met mij. Niet alleen.'

'Wat is er met die man hier? Wie is die man?'

'Hij heeft wondkoorts. Hij is de opa van dat jongetje dat we gisteren het bos in zagen lopen. Weet u nog? We hebben nog naar hem gezwaaid samen, bent u dat vergeten? U was een beetje ongerust.'

Jakob drukte zijn oor naast het luchtbed tegen de vloer. Hij hoorde geen enkel geluid van grootvader. En hij lag toch precies boven hem! Grootvader zou toch niet...? Nee, dan zou het gesprek op de gang niet zo gewoon zijn. Hij luisterde weer naar de vrouwenstemmen. Opeens was het gesprek niet meer gewoon. De oude vrouw zei:

'Nu snap ik alles... Jakob! Jakob is teruggekomen! Ik *wist* dat ik die jongen kende... Dat zei ik toch?'

'Kom nu maar mee,' zei de verpleegster. 'Ik heb koffie.' De deur tussen de gang en de woonkamer werd dichtgetrokken en de stemmen werden onverstaanbaar. Jakob stond op, schoot in zijn broek van gisteren, trok een schoon overhemd aan, sprong in zijn schoenen, rende de trap af en was net op tijd in de woonkamer om getuige te kunnen zijn van een merkwaardig schouwspel. Een oude vrouw stond bij het luchtbed en keek, de handen als in gebed voor haar borst gevouwen, neer op de rustig slapende grootvader.

'Je bent teruggekomen,' mompelde ze.

Voorzichtig liet ze zich op haar knieën zakken. Ze boog haar hoofd naar dat van grootvader en... kuste hem! Op allebei z'n ongeschoren, bezwete wangen!

'Welkom thuis,' fluisterde ze.

Dat had ze beter niet kunnen doen. Grootvaders bovenlichaam schoot overeind, zijn hoofd schoot rakelings langs dat van de oude vrouw, en het ijlen begon weer:

'Jij kunt niet vliegen. Donder jij nu ook maar op!'

'Dus dat ben je niet vergeten, jochie,' zei de oude vrouw en ze krabbelde moeizaam overeind, 'dat ben je niet vergeten. Hoe kon je ook?'

Grootvader krijste luider dan hij die nacht gedaan had. Jakob kon het niet meer aanhoren. Hij vluchtte door de achterdeur de tuin in. Hij ging zitten met zijn rug tegen het schuurtje, zijn hoofd in de zon. Hij wilde naar huis, maar hij wilde grootvader niet achterlaten; hij wilde dat zijn moeder er al was, maar hij wilde niet dat ze grootvader zo zou zien; hij wilde dat de dokter kwam, maar hij had nauwelijks vertrouwen in haar. Grootvader ijlde immers nog steeds, ondanks alle pillen die de verpleegster in hem gepropt had. Hij wilde dat de boom waaraan de vruchten voor de Goden groeien bestond. Hij zou er zo heenroeien om grootvader te redden. Hij wist toch hoe het moest? Hij wist hoe hij de slang verslaan kon en ook dat hij daarna niet zelf van de vrucht mocht eten. Als grootvader dan doodging...

De verpleegster kwam naar buiten met twee boterhammen en een glas melk.

'Heb je je ouders al gebeld?'

Jakob knikte. 'Mijn moeder komt om elf uur.'

De verpleegster keek op haar horloge.

'De dokter komt ook tegen die tijd. Volgens mij is het niet verstandig als je hier blijft zitten wachten. Als ik jou was zou ik een uurtje het bos ingaan. Als je dan terugkomt, is alles dik in orde. Dat zul je zien.'

'Ik heb geen duinkaart,' zei Jakob.

'Dan neem je die van mij maar... Excuus trouwens voor het onverwachte bezoek. Normaal ben ik bij haar op dinsdagochtend, maar je opa ging voor. Ik had haar gezegd thuis te blijven... Ze kent je opa nog van vroeger. Heeft hij hier gewoond?'

'Hij is hier geboren.'

'Volgens mij,' zei de verpleegster, 'heeft ze wel eens over hem verteld... Trouwens, ik heb de aannemer en z'n mannen maar weggestuurd. Die bellen in de loop van de middag op om te zien of ze morgen aan de slag kunnen. Je moeder komt met de auto?'

Jakob knikte.

'Misschien kan zij je opa dan meenemen. Kan hij in een echt bed liggen. Dit hier is toch geen toestand voor een zieke man!'

Ze verdween in het huis en Jakob at van zijn brood, dronk van zijn melk. Binnen ging de stem van grootvader tekeer. Jakob kon nauwelijks slikken als hij het hoorde. De verpleegster had gelijk. Hij kon beter weggaan. Het had geen zin om hier te blijven, en bepaald leuk was het ook niet.

Jakob stond op en liep naar het huis. Voor hij bij de achterdeur was deed de verpleegster al open.

'Hier,' zei ze, 'de duinkaart, je mooie gele sjaal en een zakje brood voor de karpers. Da's een leuke afleiding.'

'Dank u,' zei Jakob.

Hij knoopte de sjaal om en liep naar de tuinpoort. Maar opeens hoorde hij de stem van de oude dame. Ze had blijkbaar achter de verpleegster gestaan. Nu deed ze een stapje naar voren.

'Ik *wist* dat ik je kende. Hoe heet jij?'

'Jakob.'

'Ook dat nog... Wat ga je doen, Jakob?'

'Een stukje het bos in.'

'Zou je dat wel doen?'

'Hè,' zei de verpleegster, 'dat is toch juist heerlijk voor die jongen. Even een frisse neus halen.'

'Het lijkt mij onverstandig,' zei de oude dame.

'Het moet,' zei de verpleegster. 'Op medisch advies, *mijn* medisch advies.'

'Dan ga ik mee,' zei de oude dame.

'Geen sprake van!'

'O jawel. Ik wil rusten. Dat kan hier niet. Jakob begeleidt mij wel naar huis – toch, jochie?'

Jakob haalde zijn schouders op. De oude dame pakte zijn arm vast en kneep er zacht in.

'Kom,' zei ze, 'we gaan. Ondersteun me maar een beetje.'

'Als de dokter is geweest kom ik even langs,' zei de verpleegster.

'Als je me maar niet wakker maakt,' zei de oude dame.

Gearmd met Jakob liep ze de tuin uit, de weg langs, de Haagsche Weg op. Jakob voelde zich verlegen. Hij had nog nooit gearmd gelopen met een oude vrouw. Ook niet met grandmère. Er was altijd iemand anders die dat deed. De vrouw leek zijn gedachten te raden. Ze kneep bemoedigend in zijn arm en zei: 'Gezellig hè? Ik, en de kleinzoon van Jakob. En dat je zo op hem lijkt! Ik ken je opa nog van héél lang geleden.'

'Bent u...?'

Jakob bloosde en begon opnieuw: 'Wás u het buurmeisje dat al die verhalen vertelde?'

'Heeft-ie je dat verteld?'

'Hij vertelt niks anders. Over de wisselvrucht en het Houtvolk en de Reisgenoot.'

'Dus hij kent ze nog?'

'Uit zijn hoofd.'

'Ja,' zei de oude dame, 'die heeft hij van mij.'

'Maar dat van die wisselvrucht,' zei Jakob, 'dat speelde zich eeuwen geleden af en dat meertje is pas zestig jaar oud. Dat kan toch niet, dat bestaat niet.'

'Alles bestaat,' zei de oude dame. 'Alles wat je kunt bedenken bestaat. Als je het maar hard genoeg nodig hebt... Heeft jouw opa ooit verteld over die keer dat wij gingen zwemmen in het meertje?'

'Nee,' zei Jakob.

'Mooi zo. Ik ben blij dat te horen... En over zijn zwaan? Zijn rode zwaan?'

'Alleen dat hij een rode zwaan hád, maar hij heeft er verder nooit iets over verteld.'

'De zwaan was zijn knuffel. Hij sliep ermee, hij praatte ermee als hij dacht dat niemand het hoorde, hij droeg hem altijd mee onder zijn arm. Ik weet niet wanneer en van wie hij hem gekregen heeft, ik weet alleen waar hij hem is kwijtgeraakt. Die zwaan was uit één stuk hout gesneden, en geschilderd. Rood. Prachtig rood, Jakob, het was een rode zwaan... Ik ga je niet het hele verhaal vertellen, want dan krijg ik een rood hoofd van schaamte en dat is slecht voor m'n hart, maar die zwaan, die rode zwaan, die is je grootvader kwijtgeraakt de keer dat wij samen gingen zwemmen in het duinmeertje. En nu hij ijlt, ziet hij dat weer gebeuren. Als hij roept van "Jij kan niet vliegen" en "Donder jij nu ook maar op", roept hij dat naar zijn zwaan.'

Jakob haalde diep adem.

'Dus,' begreep hij, 'niet naar zijn Reisgenoot?'

'Ik hoop dat hij die nog heel lang niet te zien krijgt,' zei de oude dame.

'Pfff,' zuchtte Jakob.

Hij was opgelucht. Maar toch klopte er iets niet. Had de zwaan gelachen? Had de zwaan gevlogen? Een houten zwaan? Jip kon ook van alles als Jakob dat wilde: vliegen, praten, lopen, lachen... Maar als Jakob het niet wilde, kon Jip niets. Dan was hij gewoon een lieve dooie knuffel. Grootvader had zijn rode zwaan dus zien vliegen terwijl hij dat niet wilde?

'Dat lachen,' zei de oude dame, 'dat deed ik. Toen hij riep van "Lach niet", had hij het tegen mij.'

'En dat vliegen?'

'Denk er verder maar niet over na, ik vertel het toch niet. Die dag vlóóg de rode zwaan. Alleen die dag. En toen is je grootvader hem kwijtgeraakt. Die dingen gebeuren met jongens, het is eigenlijk heel gewoon. Jongens raken dingen kwijt.'

'Bij het meertje?'

'Daar was het. En het was mijn schuld...'

Ze liepen langs de volkstuintjes. Nog steeds gearmd, maar Jakob schaamde zich niet meer. Hij vond de oude vrouw aardig. Omdat ze een geheim had en daar gewoon voor uitkwam. Alleen om hém gerust te stellen. Ze had ook niks kunnen zeggen. Hij keek opzij. De dame aan zijn arm was iets kleiner dan hij. Haar haren glansden zilver in het zonlicht. Ze keek strak voor zich uit. Jakob kon niet zien of ze diep in gedachten was of dat ze het hobbelige, rijkelijk met kuilen gezegende pad afzocht naar de veiligste plekjes om haar voeten neer te zetten. Opeens keek ze hem stralend aan en zei:

'Maar jíj hebt je knuffel nog!'

'Ja,' zei Jakob.

'Christa heeft het me verteld. Ze moest er vreselijk om lachen. Ze is niet slecht, ze is alleen niet goed bij haar hoofd... Hoe heet-ie?'

'Jip.'

'Goeie naam. Zorg maar goed voor hem.'

'Doe ik...'

'Ik heb nog een ouwe pop met vlechten in het haar en een snoezig jurkje kant en klaar en allemaal barsten in haar koppie... Wilhelmina.'

'Ook een goede naam,' zei Jakob beleefd.

'Dank je,' zei de oude dame.

Ze stonden stil voor haar huisje. Onder de kastanjeboom.

'Weet je zeker dat je het bos ingaat?'

Jakob knikte.

'Ik ga grootvaders zwaan zoeken,' zei hij.

'Daar was ik al bang voor.'

'Misschien wordt grootvader rustiger als hij hem terugkrijgt... Hout blijft toch lang goed? Geschilderd hout?'

'Ja,' zei de oude dame, 'vooral als je weet dat hij *niet* in het water lag.'

'Is hij écht weggevlogen?'

'Ja, maar niet ver.'

'Is hij daar nog ergens?'

'Dát weet ik echt niet...'

Geeft niet, dacht Jakob, als ik de zwaan niet vind, zoek ik net zolang tot ik een vrucht van de Goden heb. Hij kon nog steeds niet echt in het verhaal van de wisselvrucht geloven, maar het leek hem opeens wel erg *fijn* als het waar was. De oude vrouw geloofde in vliegende zwanen van hout, de dokter geloofde in pillen, de verpleegster geloofde in niks, en ze hadden alle drie niets voor grootvader kunnen doen. Grootvader lag waarschijnlijk nog steeds te ijlen als een gek.

Jakob besloot in alles te geloven.

'Ik kan niet verder met je mee,' zei de oude vrouw en keek hem daarbij zó indringend aan, dat Jakob achterom keek om te zien tegen wie ze eigenlijk sprak, 'ik moet even gaan liggen. Maar onthoud dit: Alles wat je kunt bedenken bestaat... Zul je héél voorzichtig zijn?'

Jakob knikte.

'Héél voorzichtig?'

'Ik beloof het,' zei Jakob.

De oude vrouw liep over het tegelpaadje naar haar huis. Bij de deur draaide ze zich om.

'Dus,' zei ze, 'niet verdwalen, niet vallen op het bruggetje, de schuine boom beleefd groeten, en de heksendriehoek aan de *linkerkant* passeren...'

Ze ging haar huisje binnen. Hij moet écht oppassen, dacht ze. Hij wel... Hij heeft het in zich om de goeie ogen te krijgen...

Ze schikte de kussens in haar stoel en ging zitten. Ik had hem zijn zakje brood moeten afnemen, dacht ze. Ze sloot haar ogen en sliep meteen. Haar mond zakte open.

Jakob stond bij de schuine boom. Hij had geen zin in klauteren, dus maakte hij alleen een kleine buiging. Hij leek wel gek! Nou ja, geen mens die hem zag en hij had het de oude vrouw beloofd. Bovendien had hij zichzélf beloofd alles te geloven en dan moest je ook alles doen.

Hij liep langs het duinpad naar de brug. Gele bloemen, bruine eiken, kale duindoorns, heuveltje op, heuveltje af. Op het bruggetje stonden een moeder en een vader en twee blonde kinderen de vogels en de vissen te voeren. Ze groetten vriendelijk en Jakob groette terug.

'Willen jullie mijn brood?' vroeg hij.

De jongen en het meisje keken hun ouders vragend aan en kregen toestemming. Ze namen het brood en begonnen er geestdriftig mee te strooien. Jakob speurde de oevers van het meertje af. Hij klom op de brugleuning om het eiland in de verte beter te kunnen zien.

Hij zocht, tegen beter weten in, naar een rode stip in het riet. Niets... Hij keek, tegen beter weten in, naar een boom op het eiland die boven de andere bomen uitstak. Niets... Alleen het bootje met de vissers dat hij gisteren ook al gezien had.

'Doe je voorzichtig?' vroeg de vader.

Zijn zoontje stond opeens naast Jakob op de leuning. De man greep de jongen om zijn middel en zette hem terug op de planken van de brug.

'Hij doet het ook!' protesteerde de jongen.

'Die jongen heeft vast al zijn zwemdiploma's al,' zei de moeder.

Jakob glimlachte en knikte naar het jongetje.

'Ik heb A en B,' zei hij.

'Onze papa zegt,' zei het meisje, 'dat je hier niet mag vallen. Want dan ga je bloeden en dan komen de visjes uit het water. Dat zegt onze papa. Hij heeft het zelf gezien.'

'Maar wij geloven hem niet,' zei de jongen.

'Je weet anders maar nooit,' zei Jakob. 'Ik kom zo naar beneden, hoor. Ik wil alleen even...'

Op dat moment zag hij, niet ver bij de brug vandaan, op de oever van het meer, links van hem, een versteende vrucht. Een ronde versteende vrucht, groot als een reigersnest, waarin duidelijk zichtbaar de afdrukken van tanden stonden.

Dus toch, dacht Jakob.

78

Dacht Jakob verbijsterd.
Dacht Jakob zó verbijsterd, dat hij viel.
Hij viel een stille wereld binnen.

De karperman

Jakob kwam languit op de brug terecht.

Het eerste wat hij deed, was zijn hoofd oprichten om te kijken of het waar was. Het was waar. Ook tussen de planken van de leuning door kon hij de stenen vrucht die aan de oever van het meer lag duidelijk zien. De afdruk van de tanden stond er scherp in, alsof de hap zojuist genomen was. Hoe was dit mogelijk? Gisteren had hij hier op dezelfde brug gestaan en niets gezien, hoe zorgvuldig hij de oevers ook aftastte met zijn ogen. En nu... De vrucht bestond werkelijk. Betekende dat dat ook het verhaal echt gebeurd was; dat er ooit op het eilandje in de verte een boom had gestaan die vruchten droeg voor de Goden? Maar dan...

Hij dacht aan grootvader. Aan het zweet dat langs zijn gezicht droop, zijn kletsnatte haar, de starende blik in zijn ogen en de angstige kreten die hij slaakte in zijn koortsdroom.

Grootvader was oud. Jakob herinnerde zich de logeerpartijen in Frankrijk, de wandelingen die ze maakten, de gesprekken die ze voerden, de verhalen die grootvader vertelde, en al die tijd, al die jaren dat ze elkaar kenden, was grootvader oud geweest. Er welden tranen op in Jakobs ogen. Oude mensen gaan dood en je weet nooit precies wanneer. Stel dat grootvader wél op sterven lag... Ik moet zo'n vrucht te pakken krijgen! dacht hij. Grootvader verdient nog wat meer tijd, hij moet nog kunnen genieten van zijn terugkeer naar Bakkum. Misschien is er niets waar van het verhaal, en misschien ligt die vrucht daar zelfs niet, misschien droom ik alles, dat maakt niet uit, dan droom ik door tot grootvader weer gezond is en niet meer ijlt. Of tot ik zo'n vrucht te pakken heb. Wat had grootvader ook alweer verteld, over dat je de mensen om je heen allemaal droomt...?

Het derde wat Jakob deed, was zich verbazen over de stilte die hem omringde. Het gebabbel van de kinderen, de stemmen van hun ouders, het krijsen van de meeuwen, het snateren van de watervogels, het rumoer van het water waarin de karpers stevig roerden met hun taaie lijven – het was alsof al die geluiden van het ene moment op het andere van glas waren geworden en stilhingen in de lucht. Jakob ging zitten.

Toen pas voelde hij de pijn in zijn arm.

Hij keek en zag dat de mouw van zijn overhemd bij het neerkomen op het harde hout was opengereten. Rond de scheur bij zijn elleboog zaten donkerrode randen. Op de plek waar hij gelegen had lag een plasje bloed dat langzaam tussen twee planken door wegsijpelde. Het zien van het bloed verhevigde de pijn. Hij klemde zijn hand om de wond en voelde de warmte kleverig uit zijn vlees stromen.

'Ai,' kreunde hij.

Met zijn ogen zocht hij hulp bij de man en de vrouw en hun kinderen, maar die hadden niets gemerkt. Zij keken uit over het meer en strooiden hun brood in het water. Nee, ze strooiden niet, ze stonden als verstard met brood in hun hand.

'Meneer!' zei Jakob. 'Mevrouw!'

Ze reageerden niet. Stijf stonden ze over de leuning gebogen. Stom volk, dacht Jakob. Dit is het soort dat je vrolijk laat verzuipen als je zonder zwemdiploma's in een gracht ligt te spartelen.

'Hé, meneer!'

Zijn eigen stem was het enige wat hij hoorde; zijn stem en het opgewonden getierelier van een zangvogeltje vlakbij. Jakob stond op. Hij keek omhoog. De meeuwen hingen doodstil, hun vleugels gespreid, alsof ze aan de strakblauwe hemel waren vastgespijkerd. Geen boom bewoog, geen twijgje trilde, en ook de kleine zilveren straaljagers hingen stil in de lucht.

Jakob boog zich vlak naast het kleine meisje over de leuning van de brug. De eenden en de meerkoetjes en de gulzige karpers lagen stil.

Alsof het water lijm geworden was. Het meisje leek niet meer te ademen. Jakob bewoog zijn hand voor haar ogen op en neer. Ze keek op noch om. Alles stond stil... Een ijskoude angst daalde in Jakob neer. Een withete woede steeg in hem op. De angst en de woede ontmoetten elkaar in het midden, zodat het even leek alsof ook zijn hart stilstond.

'Hou op!' schreeuwde hij, en hij liet zijn hand met geweld neerkomen op de leuning van de brug. 'Hou hiermee op! Kijk naar me! Zeg iets tegen me!'

Niemand sprak, niets bewoog, niemand keek naar hem. Jakob legde zijn voorhoofd op de leuning en kneep zijn ogen dicht. Ik moet naar huis, dacht hij, ik moet nú naar huis, ik ben ziek, ik heb wondkoorts, net als grootvader, ik moet naar bed, ik zie dingen die er niet zijn en de dingen die er wel zijn, zijn tot stilstand gekomen. Ik moet hier wég...! Ik kom een andere keer wel terug om een Godenvrucht te bemachtigen.

Hij opende zijn ogen, en net voor hij door de verstarde wereld naar grootvaders huis wilde terugkeren, zag hij dat het water onder de brug in beweging was gekomen. Precies onder de plek waar hij zojuist gevallen was zwom een enorme karper. Het dier had zijn bek halfopen en slurpte het door Jakobs bloed donkergetinte water naar binnen. De andere karpers lagen in een halve cirkel om hem heen. Eerbiedig, zo leek het. Alsof ze op hun beurt wachtten. De staarten wiegden loom heen en weer. De monsterachtige vis zette traag koers naar de oever en schoof het zand op...

Jakob boog zich verder over de leuning en zag hoe de karper in nog geen halve minuut een evolutie van miljoenen jaren doormaakte... De schubben maakten plaats voor gladde huid. Uit de flanken groeiden poten. Het dier wrikte zich verder het land op. Heel even leek het te krimpen. Een forse rat. Er krulde haar uit de huid. Jakob zag alleen de achterkant. Het wezen verhief zich op de achterpoten. Rechtte de rug. Schoot omhoog als een blijde die een steen wegslingert. Het haar verdween. Net zo snel als het gekomen was. Het wezen was geen wezen meer. Het was een mens! Een man...! Hij klauterde tegen de oever op.

Om zijn lijf groeiden kleren. En Jakob *kende* die kleren! De leren sandalen die niet alleen de voet maar ook de enkels omwonden, het zware metalen harnas dat tot over de heupen hing en waaronder leer en een rode tunica zichtbaar waren... Tunica?

Hij keek naar de rug van een Romeinse soldaat!

De soldaat klauterde omhoog. Hij was zeker twee koppen groter dan Jakob. Zijn tuniek was gescheurd, het leer opengebarsten, het harnas gebutst en het korte zwaard aan zijn zij was dof; hij leek zo uit een veldslag gestapt. Jakob had geen tijd om te denken, niet eens om zich te verbazen. Net nu hij dacht dat alles tot stilstand was gekomen, gebeurde dit razendsnel. Op de brug draaide de soldaat zich om.

Jakob deinsde achteruit en greep zich vast aan de arm van de vader, die als een wassen beeld aan de leuning stond, ook al voelde Jakob dat hij nog steeds een warm, levend wezen was.

'Kijk dan toch!' schreeuwde Jakob.

De vader keek niet, de moeder keek niet, de kinderen keken niet. Jakob keek wel. Hij kon niet anders. Hij staarde naar de soldaat. Alles aan hem was soldaat, man, mens, alles, behalve zijn gezicht. Hij had geen gezicht, hij had de kop van een karper...

De bek stond halfopen en de draden aan weerszijden trilden, rood van het bloed dat de karper uit het water had geslurpt. Jakobs bloed. Opeens schoot een zin uit een van grootvaders verhalen door Jakobs hoofd:

'Drie druppels, drie druppels bloed van een kind...'

Hij was het al die tijd vergeten, nu kwam het terug, heel even maar. De bek leek te grijnzen en uit het lichaam steeg een geluid op. Hol. Als een echo die eeuwenlang opgesloten was en nu eindelijk bevrijd werd. De soldaat hield zijn kop schuin en keek Jakob met één ijskoud oog priemend aan. Jakob verstijfde. Kwam het door de blik van deze karperman dat alles stil leek te staan? De soldaat deed een wankele stap...

Goddank! Ook Jakob kon zich nog bewegen. Hij rukte zich los van de plek waar hij stond en vluchtte achterwaarts de brug af. De weg naar het dorp was immers afgesneden. De soldaat liep naar de ouders en de kinderen en trok zijn zwaard.

'Pas toch op!' schreeuwde Jakob. 'Kijk uit...!'

Maar de karperman zag hen niet staan. Hij liep langs ze heen, recht op Jakob af.

'Help me dan toch...!' krijste Jakob.

Er was geen hulp.

Jakob draaide zich om en rende ervandoor. Het bos in.

Hier was hij nog nooit geweest. Hij koos meteen een zijpad dat links tussen de bomen verdween, om zo snel mogelijk uit het blikveld van de karperman te verdwijnen. Hij liep zo hard hij kon en hoefde niet om te kijken om te weten dat hij achtervolgd werd. De voetstappen van de karperman deden de zachte bosgrond trillen tot waar Jakob rende. Jakob wist uit zijn geschiedenisboek dat de man zeker twintig kilo wapenrusting torste, dus echt hard lopen kon hij waarschijnlijk niet. Maar misschien kon hij uren achtereen zijn straffe tempo handhaven. En hoe lang zou hij het zelf volhouden? Hij was nu al bijna buiten adem. Waarom zat die man eigenlijk achter hem aan? Waarom was hij tot leven gewekt? In welke wereld was Jakob terechtgekomen?

In een droom?

Nee.

Als je in een droom dacht dat je droomde, werd je wakker.

Dit was echt.

Het pad kwam uit op een grote weide. Shit...! Jakob wierp een snelle blik over zijn schouder. Tussen de bomen naderde het silhouet van de karperman. Langzaam maar zeker. Jakob was bang maar snel. Hij moest het wagen. Hij balde zijn handen tot vuisten en trok een geweldige sprint, schuin het veld over. Zijn hart bonsde in zijn keel, messen staken in zijn milt, maar hij minderde pas vaart toen hij aan de overkant tussen de bomen stond. Daar keek hij om. De karperman kwam in stramme looppas over het veld. De aarde beefde, de muil grijnsde, de bebloede baarddraden trilden, de karperkop stond nog schuin op de romp en het kille vissenoog keek Jakob recht aan. Op de borst van de man hing, aan een ketting van gevlochten haar, een wit lapje. Dat viel Jakob nu pas op. Meer tijd om te kijken gunde hij zich niet, hij drukte zijn hand tegen zijn opspelende milt en rende verder.

Het bloeden van de wond in zijn arm was gestopt, dat was tenminste iets. Hij liet geen ander spoor na dan een van platgetrapt gras, omgewoelde aarde en opgestoven bladeren.

Hij draafde over een paadje, kwam bij een kruising, zag dat het pad naar links en rechts gevaarlijk breed was en stak over. Hij kwam opnieuw bij een weide, maar deze was kleiner. In het midden stond een groepje donkere sparren. Jakob worstelde zich tussen de zwiepende takken door en kwam terecht in een door de natuur gevormde schemerige hut. De adem gierde door zijn keel en zweet droop langs zijn slapen. Hij trok de sjaal van grootvader los en droogde zijn gezicht eraan. Hij had blijkbaar een voorsprong opgebouwd, want hoewel hij de grond onder zijn voeten voelde trillen, zag hij de karperman nog niet verschijnen.

Een koolmeesje streek neer op een tak vlak naast Jakobs hoofd en begon opgewonden te kwinkeleren.

'Tie-rittie, tie-rittie, tie-rittie...'

Het vogeltje vloog weg, kwam weer terug, vloog weg, kwam terug en vloog weer weg – steeds in dezelfde richting het bos in.

Jakob besteedde geen aandacht aan het diertje. Hij zag iets wat zijn hart een dubbele salto van vreugde deed maken: auto's! Hij was aan de rand van het bos! Einde nachtmerrie... Hij gluurde tussen de takken door. Van zijn achtervolger nog geen spoor. Hij stak zijn armen door de takken en knoopte grootvaders sjaal op een opvallende plek vast. Zonder het felle geel om zijn hals was hij minder zichtbaar en wie weet zette het de karperman op een dwaalspoor. Jakob kroop tussen de sparren door naar buiten en begon te rennen. Hij bereikte de bosrand, klom over een hekje van prikkeldraad, scheurde zijn broek, en draafde met zijn armen zwaaiend naar de auto's toe.

De auto's stonden stil.

Hij had het kunnen weten.

Een betoverde wereld houdt niet op bij een stuk prikkeldraad. De bestuurders zaten met versteende koppen aan het stuur en keken strak voor zich uit. In een lesauto met 'Rijschool EROL' op het dak zaten twee mannen te lachen, maar ook hun lach was gestold. Van de bestuurders en hun passagiers viel geen redding te verwachten.

Jakob vermoedde dat dit de Zeeweg was; dat de weg rechts naar zee liep en links naar het dorp. Hij besloot een poging te wagen om terug bij grootvaders huis te komen. Daar stond alles misschien ook stil, maar een vertrouwde omgeving zou hem welkom zijn. Linksaf dus, naar het dorp. Hij moest er niet aan denken met de karperman achter zich aan over een open strand te rennen. Aan de overkant liep een fietspad, van de weg gescheiden door een dichte rij bomen. Daar was hij allicht veiliger. Voor hij de weg overstak, keek hij uit gewoonte eerst naar links en...

Honderd meter verderop stond de karperman tussen de auto's op het asfalt en sneed de weg naar het dorp af.

Wat nu? Toch naar het strand? Of terug naar de geborgenheid van het bos, waar je je beter kon verstoppen maar waar de karperman ook ongezien naderbij kon sluipen? Nu ja, ongezien wel, ongehoord niet. Jakob koos voor het bos. Hij draaide zich om en...

Hij stond oog in oog met de karperman.

Een zwaard flitste door de lucht, de holle klank die uit de strot van het gedrocht opsteeg leek opeens verdacht veel op gelach, en Jakob bukte. Net op tijd. Met het geluid van een vleugelslag suisde het metaal vlak boven zijn hoofd langs. De vrije hand van de karperman schoot naar voren, maar Jakob deinsde achteruit, draaide zich om en rende voor zijn leven. Tussen de auto's door naar de overkant. Vanuit zijn ooghoek zag hij in de verte de karperman op de weg staan. *De* karperman? *Een* karperman...

Er waren er dus twee.

Of meer.

Jakob sprintte langs een sportveld, een meertje, een groot gebouw, haalde links en rechts verstijfde fietsers in, keek af en toe in doodsangst achterom, maar zag dat hij nog niet gevolgd werd. De mannen hadden geen haast. Waarom zouden ze ook? Een muis smaakt lekkerder als je er eerst een poosje mee speelt.

Links van de weg zag Jakob een groot restaurant. 'Johanna's Hof', las hij. Het terras zat vol dagjesmensen. Veel kinderen ook. Herfstvakantie. Hij aarzelde geen moment, rende tussen de tafeltjes door en ging naar binnen. Niemand merkte hem op. Daar was hij inmiddels aan gewend. Hij kon doen en laten wat hij wilde. Iedereen was, als in Doornroosje, in een soort honderdjarige slaap gedompeld. Als in een sprookje. Een huiveringwekkend vermoeden schoot door Jakobs hoofd. Hij zou toch niet...

Een telefoon! Het toestel stond op de balie tegenover de ingang van het restaurant. Jakob nam de hoorn van de haak en toetste 06-11 in. De lijn was dood. Hij stond met zijn rug tegen de muur, achter de balie, zodat hij zowel de ingang als de diverse zalen van het restaurant in de gaten kon houden, en probeerde het opnieuw. Geen geluid. Hoe kon het ook anders? Hoewel, ergens, op een bepaalde plek, eens, moest deze waanzin toch ophouden! Waar lag de grens? Jakob draaide voor de derde maal het nummer. De hele wereld was toch niet voorgoed tot stilstand gekomen?

De karpermannen in ieder geval niet. Nog voor Jakob het zinloze van zijn poging inzag en de hoorn terug op het toestel kon leggen, verscheen een van hen op het terras. Jakob dook weg achter de balie. Hij was niet gezien, dat wist hij zeker. Hij keek speurend rond. De zalen hadden grote ramen, daar moest hij niet zijn. Naar buiten wilde hij absoluut niet. Hij sloop achter de balie langs, de keuken in. Bevroren koks hielden bevroren lepels in bevroren soep. Hij griste een groot vleesmes uit een lade en sloop verder, de keuken uit, dieper het gebouw in.

Wat moest hij met dat mes? Zou hij het gebruiken als het nodig was? Hij durfde nog geen vleugeltje van een gebraden kip af te snijden. Maar dat was in zijn eigen wereld. Vroeger.

Hij keek op zijn horloge. Vroeger was nog geen uur geleden. Nu zaten er mannen achter hem aan, mannen met zwaarden, met walgelijke vissenkoppen op hun romp. Jakob voelde nog het suizen van het zwaard vlak boven zijn hoofd, en zag in zijn herinnering de karperman opnieuw van zeer dichtbij: de draden naast zijn bloedbevlekte muil, de scheve kop waarin één ijskoud oog hem aanstaarde. Zou hij het mes daarin durven steken? Misschien, heel misschien. Maar wat dan nog?

Als hij de één stak, zou de ander hem van achteren te grazen nemen. Hij zou het nooit winnen. Hij bracht het mes vlak voor z'n gezicht en keek naar zijn spiegelbeeld. Hij was nog zichzelf. Hij wel. Als enige. Ik kan maar één ding doen, dacht hij, en hij was allang blij dat hij nog kón denken: Ik moet me schuilhouden en afwachten. Wachten tot alles voorbij is. Of liever: tot alles weer begint. Tot de wereld weer tot leven komt.

Hij trok een deur open. In een klein kantoor zat een bevroren man achter een bevroren computer.

Toen zag Jakob de trap. De treden leidden naar een luik dat het trapgat afsloot. Hij gluurde om zich heen en luisterde scherp. Niets. Geen geluid, geen beweging. Geen trilling, hoe zwak ook, ging door de vloer. Snel beklom hij de treden en opende het luik. Hij kwam terecht in een schemerige ruimte. Voorzichtig liet hij het luik zakken en keek om zich heen. De zolder was volgestouwd met oude spullen – dozen, meubels, een paar afgedankte computers – die beschenen werden door licht dat door twee ramen binnenviel. Stof dwarrelde onder zijn voeten op en danste in de zonnestralen toen hij naar de ramen sloop. Hij had geluk: ze gaven uitzicht op het terras en het pad naar het bos, de richting waaruit de achtervolgers kwamen, en hij had pech: ze waren er al. Twee karpermannen stampten tussen de tafels en stoelen rond terwijl er aan de bosrand een op wacht stond.

Dat waren er al drie.

Jakob besloot het luik vol te stapelen met de zwaarste spullen die hij op de zolder vinden kon. Hij kon dan bij het raam de situatie buiten in de gaten houden en werd door het zware luik beschermd óf door omvallende troep gewaarschuwd als de aanval van binnen kwam. Hij zette een stoel bij het raam. Om op te zitten, en om het raam mee stuk te slaan als de karpermannen langs de trap kwamen. Hij zou moeten springen, maar het was niet hoog. Het enige werkelijke gevaar was een omsingeling, maar dan moesten ze er toch eerst achterkomen waar hij zich schuilhield en dat was nog niet gebeurd. Een van de karpermannen had het terras alweer verlaten en marcheerde het bos ten zuiden van de Zeeweg in. Ze hadden geen van allen omhooggekeken.

Jakob begon met meubelstukken te schuiven en zette ze naast het luik. Het maakte een hoop herrie, maar lang niet zoveel als de galmende voetstappen van de karperman buiten. Toch wierp hij na ieder tochtje een blik uit het raam. Daar was alles nog hetzelfde. Eén karperman stampend op het terras, de tweede op de weg naar het dorp, de derde de bossen in. Hij zette de meubels voorlopig nog even náást het luik, want ieder geluidje kon hem verraden, en wie zei hem dat de karperman niet langs de muur naar het raam zou kunnen klauteren? Op de trap klonk geen geluid. Dat was het enige voordeel van de stille wereld waar Jakob in terecht was gekomen: de achtervolgers konden geen stap in zijn richting doen zonder dat hij het letterlijk hoorde dreunen.

Het verbaasde hem hoe rustig hij was. Niet dat hij zich veilig voelde op de zolder, absoluut niet, maar nu hij besloten had hier te blijven tot er iets gebeurde, wat dan ook, was de angst uit hem weggeëbd. Hij kon weer nadenken. Misschien kon je ook niet voortdurend op je benen staan trillen. Hij was nu zelfs zó rustig dat hij voelde dat hij honger had.

Hij kon nog naar beneden als hij dat wilde. En durfde. Hij pakte het mes, haalde diep adem, trok het luik omhoog, en sloop de trap af. In de keuken schrok hij. Hij had sterk de indruk dat de koks bewogen hadden. Hij wist zeker dat de man bij de soep zijn lepel zojuist nog *in* de pan had gehouden...

Er schoot hem een bezoek aan een speeltuin te binnen. Daar stonden ouderwetse apparaten, het leken verrekijkers, waarin je als je een kwartje in de gleuf wierp een filmpje kon zien. Jakob had gekeken en zag alleen een foto: Charles Chaplin en een dikke man met woeste wenkbrauwen. Pas na een poosje ontdekte hij dat er een slinger aan het apparaat zat. Hij draaide voorzichtig. De foto maakte plaats voor een foto die op de eerste leek, maar toch íets anders was – alsof hij één seconde later genomen was. De derde foto leek weer één seconde later genomen. Een arm hing iets hoger in de lucht, een been was van de grond gekomen. Pas toen een vriend hem had uitgelegd dat je niet voorzichtig maar juist snel aan de slinger moest draaien, had Jakob de truc begrepen en kreeg hij een hortend filmpje te zien. Een klein stukje maar, toen was zijn kwartje op.

Jakob had nu de gewaarwording alsof hij naar een andere foto van de keuken keek dan de foto die hij zag toen hij hier de eerste keer binnenkwam. Een foto die een paar seconden later genomen was. Alleen was hier nergens een slinger om de tijd mee op te jutten.

Wat hem echter het meest verbaasde was, dat de grote pannenkoek die hij uit een pan wilde grissen gloeiend heet bleek te zijn. Fijn – eerst een wond aan zijn arm, vervolgens een scheur in zijn broek en nu verbrande vingers. Goed dat hij gebukt had toen de karperman uithaalde met zijn zwaard... Jakob liep naar een andere kok, die bezig was met het smeren en beleggen van broodjes. Hij nam een stuk ham, een homp kaas en de zak brood, en haastte zich ermee de trap weer op. Hij beloofde zichzelf plechtig om later, in een andere wereld, terug te komen en te betalen.

Pas toen hij het luik verzwaard had met de meubels en op de stoel aan het raam was gaan zitten, gunde hij zich de tijd om te grijnzen. Hij dacht opnieuw aan het verhaal van Doornroosje, aan de kok die in slaap viel op het moment dat hij de koksmaat een mep wilde geven. Als alles weer goed kwam, ooit, zou de arme kok in de keuken beneden zijn boter op de broodplank uitsmeren voor hij in de gaten had dat door een wonder alle broodjes onder zijn nijvere handen verdwenen waren. Je zou, bedacht Jakob, enorm veel plezier kunnen maken in een situatie als deze. Je kon dingen verplaatsen. Potten, pannen, hoofddeksels. Kleine geintjes uithalen: zout en suiker verwisselen, een nulletje extra aanslaan op de kassa... En dan fijn kijken naar de puinhoop die ontstond als iedereen weer in beweging kwam. Hij zou van alles kunnen doen, als... de karpermannen hem niet op de hielen zaten.

Jakob sneed een plak van de ham en belegde een broodje. Hij nam een hap en keek kauwend naar buiten. Hij zag alleen nog de karperman op het terras! Die marcheerde nog steeds heen en weer. De andere twee waren uit beeld verdwenen. De een het bos in, en de ander? Toch niet goed opgelet, en...

Verdomd!

Buiten was alles ook veranderd! Net als in de keuken. De auto met de lachende mannen, die net nog op de weg gestaan had, stond nu bij de parkeerplaats honderd meter verderop. Jakob wist het zeker. Het was de lesauto. Alles bewoog dus toch. Maar alleen als hij niet keek. Achter zijn rug om. Of was de beweging zichtbaar? Jakob concentreerde zich op de lesauto en, ja, hij léék inderdaad te bewegen. Tergend langzaam, maar toch. Je kon het waarschijnlijk het beste zien als je de plek waar hij stond goed in je opnam, je ogen een poosje sloot, en dan opnieuw keek. Het probleem was dat Jakob zijn ogen niet durfde te sluiten, nu hij al één keer onoplettend was geweest. Maar de karperman marcheerde voort en keek niet naar boven, dus... Jakob sloot zijn ogen.

Tók!

Tegen het glas.

Jakobs hart sprong naar zijn keel en hij sperde zijn ogen wijd open. Op het smalle randje onder het raam zat een koolmeesje. Het diertje schudde zijn veertjes en leek nog versuft van de klap, maar de oogjes stonden helder en keken Jakob recht aan. Jakobs hart zakte luid bonzend terug naar zijn borst. Met enige moeite kreeg hij zelfs weer wat lucht binnen. Hij gluurde voorzichtig naar beneden. De karperman had niets gemerkt.

'Dank je,' zei hij halfluid, 'daar had ik echt even behoefte aan.'

Het vogeltje maakte met zijn kopje kleine nerveuze beweginkjes naar rechts, alsof het wilde uitproberen of alles nog goed vastzat, en vloog toen weg, richting Zeeweg. Jakob zag dat de lesauto geparkeerd stond. Twee deuren stonden open en twee mannen leken bevroren tijdens het uitstappen. Maar dat leek alleen maar zo. Ze bewogen.

Alles bewoog.

Jakob keek op zijn horloge. Het was ongeveer een halfuur geleden dat hij uit het bos kwam en de mannen lachend in hun auto zag zitten. Hoe ver hadden ze sinds dat moment gereden? Driehonderd meter? Dat maakte de som wel erg makkelijk. Ze hadden in één minuut tien meter afgelegd. Dat klopte wel ongeveer met zijn waarnemingen.

Parkeren ging natuurlijk langzamer... De karperman beneden leek te slaapwandelen tussen de tafels, de stoelen en de vrolijke vakantiegangers. Stram, maar niet traag. Hij bewoog in hetzelfde tempo als Jakob. Helaas. Maar hij keek nog steeds niet omhoog. Waar was die tweede toch gebleven? De derde struinde, als het goed was, door de bossen. Op de trap was het nog steeds stil. Jakobs ademhaling was weer regelmatig. Hij nam nog een hap van zijn broodje.

Stel nu eens, dacht hij, dat auto's op de Zeeweg gemiddeld zestig kilometer per uur rijden, normaal, maar nu in een uur zeshonderd meter. Dan... En voor hij het zelf in de gaten had zat hij midden in de herfstvakantie, midden in een krankzinnige, gestolde wereld, op een schemerige zolder, geheel uit vrije wil, een redactiesom te maken! Op de basisschool was hij er behoorlijk goed in geweest, maar nu hij voortdurend naar buiten moest kijken om zijn belagers in de gaten te houden, kostte het hem meer moeite. En net toen hij de uitkomst dacht te weten, schrok hij zich te pletter van de tweede aanval van het koolmeesje.

Dit raam is zeker pas gemaakt, dacht Jakob, toen hij naar het versufte vogeltje keek. Hij heeft hier vast een nestje op zolder waar hij nu niet meer bij kan. Jakob hief zijn handen in een hulpeloos gebaar.

'Ik kan je niet helpen,' fluisterde hij. 'Je moet niet meer tegen het raam aan vliegen. Je kunt toch niet naar binnen, en straks hoort de karperman je en dan kijkt hij omhoog...'

Het diertje schudde nerveus zijn kopje, steeg op en begon vlak voor het raam de meest kunstzinnige vliegtrucs uit te halen die je maar bedenken kon. Hoe heette dat bij vliegtuigen? Vrilles, loopings, driedubbele salto's...

'Ja hoor,' zei Jakob, 'je bent een heel knap vogeltje.'

Hij keek op zijn horloge. Bijna kwart over twaalf. Ze zouden zich wel afvragen waar hij bleef, en die ongerustheid deed grootvaders genezing vast geen goed. Verdomme. Nou ja, als het meezat was zijn moeder er al een poosje en die had helende handen. Tussen tien en elf uur stonden er toch nergens files?

Maar... zou zijn moeder niet in dezelfde traagheid gevangen zijn als iedereen hier om hem heen? Waar lag de grens? Jakob kon zich niet voorstellen dat ook in Amsterdam alles zich in slow motion afspeelde...

Het meesje vloog golvend op de lucht richting Zeeweg.

En als zijn moeder nu eens wél zo langzaam was als de rest?

Nu hij hier al meer dan een uur zat, wist hij zeker dat *alles* nog bewoog. Hij had obers op het terras zien verschijnen en anderen zien verdwijnen. Hij had auto's op de Zeeweg en het parkeerterrein *bijna* zien bewegen. In een kwartier tijd legden wandelaars iets meer dan tien meter af en auto's waren uit beeld verdwenen. Als je naar ze keek waren hun bewegingen onzichtbaar traag, maar ze bewogen. Alles bewoog. En alles en iedereen in hetzelfde tempo, behalve...

Dus toch! dacht Jakob. Een koude rilling joeg langs zijn rug. Alles en iedereen zit in hetzelfde tempo. Behalve ik. Behalve ik en de karpermannen. De wereld is nog precies zoals ze moet zijn en altijd is geweest, alleen ik ben in een andere tijd terechtgekomen. Ik en de karpermannen. Daarom reageert niemand op wat ik doe en schreeuw! Zij zijn niet onzichtbaar traag, ik ben onzichtbaar snel! Daarom kan niemand mij helpen! Ja, misschien dat ze me kunnen zien als ik een kwartier stilsta, pal voor hun neus, maar dan nog: wat kunnen ze voor me doen in hun onbeholpen traagheid? Niks! En ik kan toch geen kwartier stil blijven staan op de open plekken waar mensen zijn! Daar zijn de karpermannen ook! En zij zitten in dezelfde versnelde tijd...

Wat had grootvader gezegd?

'Die verhalen kunnen zich hier afspelen, hier op deze plek, en nu, nu op dit moment. Alleen wij zien ze niet. Wij hebben de verkeerde ogen...'

Hij zat in een verhaal!

Hij had blijkbaar de goede ogen. Hoe hij daar zo opeens aan gekomen was begreep hij niet, zoals hij zoveel niet begreep, maar één ding was overduidelijk: hij zat in een verhaal en wilde er zo snel mogelijk weer uit! Sprookjes liepen vaak goed af, maar dat kon je van grootvaders verhalen niet zeggen. In het verhaal over de wisselvrucht stierven ze toch maar mooi alle twee aan het einde. Maar... En weer joeg de kou langs zijn rug. Als in verhalen de tijd zo snel ging, dan bestond het duinmeer met het eiland in die verhalen al eeuwen en eeuwen en eeuwen... Dan had grootvader toch gelijk! Dan was het helemaal zo vreemd niet dat hij de versteende vrucht gezien had.

Jakob schudde zijn hoofd. Het duizelde hem. Het was allemaal te ingewikkeld om te doorgronden. De doorwaakte uren van de afgelopen nacht begonnen hem op te breken. Hij wreef in zijn ogen, at nog wat, vocht tegen de slaap. Hij zette zijn ogen wijd open, keek naar de geitjes op de weide voor het restaurant en de kinderen in het speeltuintje. Ze graasden en speelden bewegingloos in een stille wereld, kinderen met stijf naar achteren staand haar halverwege de glijbaan. Alle geluid was te traag om gehoord te worden. Er was alleen de wachtlopende karperman. Hij had nog steeds niet in de gaten dat Jakob zo vlakbij was en marcheerde in het ritme van een tikkende wekker heen en weer over het terras. Heen en weer, heen en weer...

Later wist Jakob niet meer waarvan hij wakker was geworden. Van het dolzinnige tikken van het koolmeesje tegen het raam of van de dreunende voetstappen op de trap. Het duurde even voor het tot hem doordrong wat het geluid op de trap betekende. Eerst keek hij verdwaasd om zich heen. Het viel hem op dat het aardedonker was op de zolder, terwijl het terras buiten nog volop beschenen werd door de herfstzon. Hij tuurde op zijn horloge. Bijna zeven uur. Vlak voor het raam hing het meesje op trillende vleugeltjes stil in de lucht.

Dat meesje...

In een flits van genade besefte Jakob: Ik ben niet alleen! Ik ben niet de enige die met de karpermannen in deze tijdversnelling terecht is gekomen. Het meesje is er al die tijd geweest! Gisteren op de brug was hij er al, en vandaag in het bos, en sinds ik op zolder zit is hij bij me geweest en al die tijd heeft hij geprobeerd me iets te zeggen. Hij is net zo snel als ik en de karpermannen. Dat ik dat niet eerder heb opgemerkt! Ik weet niet wát hij me wil zeggen, maar ik kan maar beter luisteren. Ik heb een bondgenoot.

Dit alles bedacht hij in die éne seconde die hij nodig had om wakker te worden. In de volgende seconde zag hij hoe het luik met meubelstukken en al door een gruwelijke kracht werd opengeworpen, zag hij de kop van een karperman verschijnen, beschenen door licht dat uit het restaurant opsteeg, sprong hij op, greep hij het mes, sloeg hij het raam met de stoel aan scherven, en sprong hij naar beneden. Hij kwam hard neer, maar brak niks. Hij stond op en rende weg. Achter het meesje aan. De aarde dreunde onder zijn voeten en hij wist dat het niet *zijn* angstige stappen waren die de trilling veroorzaakten.

Zo vluchtte hij.

Waarheen?

Kende het meesje de uitgang van dit verhaal? Dat zou kunnen; *alles* was immers mogelijk. Jakob besloot de gok te wagen. Zijn gevoel zei hem dat het vogeltje hem wilde helpen.

'Tie-rittie, tie-rittie.'

Het meesje deinde op ooghoogte door de lucht, vlak voor Jakobs gezicht, en dat was maar goed, want Jakob merkte dat hij de nacht met zich mee had genomen van de zolder. Het donker had zich om hem heen geslagen als een mantel. Hij kon hooguit twee meter voor zich uit zien. De hele wereld was in diepe rouw gedompeld. Alleen de andere mensen, op hun terrassen, in hun auto's, op hun fietsen, in hun eigen tijd, hun eigen vertrouwde tijd, zaten in koepeltjes van licht dat uit minuskule scheurtjes in de nachthemel boven Jakob op hen neerdaalde.

'Tie-rittie, tie-rittie.'

Jakob rende voort over de dreunende aarde. Blindelings volgde hij de geluidjes van het vogeltje, dat een paar meter voor hem uit door de lucht deinde, tussen twee gebouwen door, langs een hek waarachter paarden stonden, richting Zeeweg, tussen frivool belichte auto's door naar de overkant. Bij de bosrand keek hij om. Het terras van 'Johanna's Hof' baadde in zonlicht. Tegen dat licht zag hij de vage silhouetten van zeker zes karpermannen naderbij komen.

'Tie-rittie, tie-rittie.'

Jakob volgde het meesje het bos in. In het bos was het meedogenloos nacht. Geen vlekje licht te bekennen. Het vogeltje vloog snel. Eerst zwoegde Jakob door het rulle zand van een ruiterpad, maar al gauw vloog het diertje het kreupelhout in. Jakob was vastbesloten hem te volgen, waarheen hij ook ging. Het was duidelijk dat het diertje de wereld van dit verhaal kende en Jakob – althans zo leek het – goedgezind was. Jakob had geen keuze. Die dreunende aarde... Hij zag geen hand voor ogen. Hij volgde het 'Tie-rittie' van de koolmees en worstelde zich tussen laaghangende takken door. Hij klom over prikkeldraad, voelde dat zijn broek opnieuw scheurde maar denderde voort, met als enig kompas de kleine vogel. Opeens begon de grond onder zijn voeten te stijgen. Hij keek langs de helling omhoog en zag een houten vakantiehuisje. Hij was op een camping. Herfst te Bakkum. Ansichtkaarten. Lieve groet. Láátste groet...? Hij kón niet meer. Maar het meesje vloog voor hem uit en hij volgde. Boven gekomen legde hij zijn hete voorhoofd tegen het koele glas van een van de ramen van het huisje, en zag, weerspiegeld in de ruit, hoe halverwege de helling een klein vlekje licht uit de duisternis op hem afkwam: het witte lapje op de borst van de karperman!

'Tie-rittie, tie-rittie!'

Het vogeltje streek neer op Jakobs hoofd, nam een pluk haar in zijn snavel en vloog op. Er zat verrassend veel kracht in het kleine lijfje; de pijn deed Jakob overeind veren en verder gaan, strompelend, de heuvel af. Hij struikelde, viel, stond op, en ploeterde voort.

Hij stuitte weer op prikkeldraad, sloeg dubbel over de versperring en voelde het ijzer in zijn buik steken. Het mes vloog uit zijn hand. Jakob trok zich los. Hij klom over het prikkeldraad en begon op handen en voeten rond te kruipen door de vochtige herfstbladeren. Het mes kon onmogelijk ver weg zijn, maar hij vond het niet. Het meesje fladderde luid piepend voor hem in de lucht. Jakob richtte zijn hoofd op. Hij kon niet meer rennen, niet meer lopen, niet eens meer strompelen. 'Wie ben jij toch?' hijgde hij.

Het vogeltje streek neer op Jakobs onderlip en zette zijn snaveltje venijnig in het tussenschot van zijn neus. Jakobs hoofd schoot omhoog.

'Au! Shit!' zei Jakob. 'Oké, ik geef me over. Ik doe alles wat je zegt. Geen mes?'

'Tie-rittie.'

'Oké, geen mes...'

Jakob stond op.

'Kon je maar praten,' zei hij. 'Jij weet alles en ik weet niks. Maar ik kan vragen wat ik wil, jij kunt niks zeggen.'

'Tie-rittie,' zei het meesje.

'En wat doen we nu?' vroeg Jakob.

'Tie-rittie,' zei het vogeltje.

'Het lijkt erop,' zei Jakob, 'dat wij het samen moeten zien te rooien. Wij met z'n tweeën...'

'Tie-rittie,' zei het meesje.

Hij ging op Jakobs hoofd zitten, nam opnieuw wat haren in zijn snavel en vloog op.

'Au!' zei Jakob. 'Goed, we gaan. Jij wilt me helpen, ik laat me helpen. Afgesproken?'

De dreunende voetstappen kwamen nader en nader.

'Tie-rittie!'

Jakob worstelde zich de struiken uit. Ze kwamen op een pad. Op een viersprong iets verderop, onder een koepel van helder daglicht, stond het gezin dat hij eerder die dag op de brug had gezien. Even kreeg hij de aanvechting bescherming te zoeken in hun midden. 'Dan komen de visjes uit het water,' had het meisje gezegd, 'papa heeft het zelf gezien.' Zij kenden het verhaal waarin Jakob terecht was gekomen blijkbaar. De vader leek Jakob recht aan te kijken, alsof hij zag of *wist* wat er gebeurde, maar niet in kon grijpen.

Het heeft ook geen zin, besefte Jakob. Hij kon zich beter niet wagen in het licht dat de mensen omgaf. Hij volgde het meesje, dat op de viersprong weer van de paden afweek en een stuk bos met statige, gladde beuken invloog. De bomen boden weinig bescherming, maar Jakob had zich voorgenomen zijn lot in de klauwtjes van het meesje te leggen en ook hij verliet het pad.

Omdat de bomen hier wat verder uiteen stonden, drong het licht uit de hemel door tot op de bodem van het bos. Jakob keek verbaasd omhoog en zag duizenden heldere sterren. Het meesje streek neer op iets wat een gemetseld muurtje leek. Hij liep erheen. Het was een put, een kleine rechthoek waarin stil water de boomtoppen weerspiegelde.

Jakob ging naast het vogeltje op de rand zitten en een onverklaarbaar gevoel van veiligheid overviel hem. Een put door mensenhanden gemaakt gaf moed, houvast, in dit grillige, betoverde bos, waar verder niets vierkant was; in deze krankzinnige wereld waarin karpers vijandige soldaten werden en koolmeesjes optraden als redder in de nood. Een gemetselde put gaf vertrouwen.

'Is dit ons reisdoel?' vroeg Jakob.

'Tie-rittie,' antwoordde het vogeltje.

Het leek alsof er een storm opstak. Diep uit de basten van de beuken rondom steeg gekraak, stammen ploften neer, takken braken, de lucht kwam in beweging en blies Jakobs haren rechtovereind.

Daar zijn ze, dacht Jakob, de karpermannen. Allemaal. Hij omklemde de stenen rand waarop hij zat en kneep zijn ogen dicht. *Game over*, dacht hij, al mijn levens zijn op.

Maar er was geen zwaard dat hem doorstak, er waren geen handen die hem vastgrepen... Geen van zijn angstige vermoedens kwam uit. De storm ging liggen, alles werd stil, en Jakob opende zijn ogen. Hij bevond zich in een vesting van levend hout. Stammen lagen als muren om hem heen, takken bogen zich tot een dak boven zijn hoofd en uit de twijgen ontsproten nieuwe bladeren die de kieren in dak en muren dichtten. Hij zág ze groeien... Alsof hij naar een versneld afgedraaide film zat te kijken. En dat in een wereld die toch al zo razendsnel voortjoeg!

Was hij hier veilig? Was dit de bedoeling? Was deze uit het niets opgedoken lente er alleen om hém, Jakob, te beschermen tegen het gevaar dat hem bedreigde? En wie had daar dan de hand in? Het meesje? De natuur zelf, bestuurd door de oude, onsterfelijke Goden? Het kon geen toeval zijn. En net zoals hij eerder besloten had het koolmeesje te vertrouwen, besloot hij nu...

Het meesje was verdwenen!

Jakob voelde zich op slag eenzaam. Alsof hij er weer helemaal alleen voor stond. En alleen omdat dat meesje...? Krankzinnig. Maar het vogeltje had hem wel naar deze plek gebracht, en hier hadden de bomen zich over hem ontfermd... Jakob besloot te vertrouwen op de mysterieuze krachten die hem zo opeens te hulp waren geschoten en hier te blijven wachten tot hij een teken kreeg dat hij zelf weer in actie moest komen. Iets anders zat er ook niet op.

Hij had dorst. Hij boog zich over de put, maar durfde niet te drinken. In Nederland kon je alleen kraanwater vertrouwen. En wat er ook gebeurd was, één ding was duidelijk: hij was nog in Nederland. In de bossen van Bakkum. Hij was niet in een andere wereld terechtgekomen, zoals hij aanvankelijk dacht, maar in een andere tijd. In een verhaal – hoe idioot dat ook klonk...

Dan maar alleen het zoute zweet van zijn gezicht wassen. Hij vormde zijn handen tot een kom, maar net voor hij ze in het water wilde steken zag hij iets bewegen in de put. Kikkers? Salamanders? Hij tuurde aandachtig in de diepte.

Het water stond strak als een tv-scherm, en hij zag dat de beweging zich niet in de diepte, maar aan het oppervlak afspeelde. Hij zag zichzelf. Niet de weerspiegeling van zijn turende hoofd, nee, hij zag zichzelf op de rand van de put zitten – alsof hij van een afstandje gefilmd werd. Hij keek naar iets dat zich buiten beeld bevond. Naar *iemand* die zich buiten beeld bevond, want er klonk een stem. De stem van een meisje. Ze zei: 'Kom, het is tijd om te gaan.'

Jakob zag dat hij opstond. Zijn evenbeeld in de put bukte zich, nam een opgerolde deken en een mand van de grond en liep in de richting van de stem. Vlak voor hij uit beeld verdween, zei het meisje: 'Verrek, we moeten je nog geruststellen.'

De Jakob op het water giechelde. Hij voelde zich blijkbaar helemaal op zijn gemak. Tenminste, Jakob had zichzelf nog nooit zo zien en horen giechelen. Er verscheen een meisje in beeld. Ze legde haar arm over Jakobs schouder en zei plechtig, alsof ze een programma aankondigde: 'Jakob, dit is morgen. Je kunt in deze put een stukje toekomst zien. Een piepklein stukje. Vierentwintig uur, meer niet. Dit is morgen. Zie je jezelf?'

Het meisje pakte Jakobs hand, stak die in de lucht en liet hem zwaaien. De dekenrol viel van onder zijn arm op de grond. Jakob grijnsde debiel en bloosde. De Jakob die zat toe te kijken snapte dat maar al te goed. Hij had nog nooit hand in hand met een meisje gestaan. Zelfs niet met Eva. Ja, ooit in de rij voor de kleuterschool, dat wel, zo vaak, met allerlei meisjes en ook met jongens, maar dat telde niet. Dit was een verdomd leuk kind om te zien. Heel anders dan Eva, maar toch...

'Goed dat ik eraan dacht, hè?' zei ze tegen de Jakob in de put. 'Anders was je gisteren doodsbang geweest. Zeg even tegen jezelf dat je niet bang hoeft te zijn.'

De Jakob in de put fluisterde het meisje iets in haar oor. De Jakob die toekeek kon er geen woord van verstaan, maar zag wel hoe hij morgen blijkbaar dubbel zou slaan van de slappe lach en hikkend van plezier zou zeggen:

'Ha die Jakob, je moet gewoon bij de put blijven. Dan ben je veilig. Dan gebeurt wat je nu met mij ziet gebeuren morgen met jou. Niks engs... Kun je het nog volgen?'

Hij wendde zich tot het meisje.

'Ik snapte er geen moer van, toen ik dit gisteren zag.'

Dat klopt, dacht Jakob.

'Ik leg je straks alles uit,' zei het meisje. 'Ik ben zo bij je, over een minuut of tien. Toch?'

Ze keek de Jakob in de put vragend aan en die Jakob knikte.

'Dit is Neeltje,' zei hij, 'dit is een meisje dat doet wat ze belooft. En als ze er eenmaal is zul je je geen moment vervelen, want ze kan fantastisch vertellen.'

Het meisje maakte een kleine buiging naar de Jakob in de put. Ze hadden nu alle twee de slappe lach.

'We hebben net in de put *ons* morgen gezien,' schaterde Neeltje, 'en alles komt in orde. Waarschijnlijk zijn we morgen, overmorgen voor jou, weer thuis.'

Ze liepen weg. Het beeld vervaagde, werd stil water in een put. Jakob voelde een knagende pijn in zijn hart. Het duurde even voor hij doorhad waar die vandaan kwam, toen wist hij het: hij was stervensjaloers op de Jakob in de put...

Het moest ook niet gekker worden! Hij was toch met Eva! En zij met hem! Dat had ze zelf gezegd... Hij stak zijn hoofd tot aan zijn nek in het ijskoude water. Hoe zag hij eruit? Bezopen. En over tien minuten kwam het meisje. Neeltje... Neeltje, wat scheelt je? Een appel met een steeltje... Zo krijgen ze jongens dus aan het versjes maken, dacht Jakob. Wat rijmde er op Eva? 'Wil je mij vergeva...?'

Hij keek somber naar de wond op zijn arm, zijn verbrande vingertoppen en zijn op twee plekken gescheurde broek. Hij kamde zijn kletsnatte haar met zijn vingers en droogde zijn handen aan zijn hemd. Hoe kon hij al die averij herstellen vóór het meisje Neeltje kwam?

Dat kon hij niet.

Ze was er al.

Ze stapte door de wand van gebladerte en takken Jakobs vesting binnen, met in haar handen twee dekenrollen en een volgeladen rieten mand. Bovenop lagen een brood en een fles melk. De takken zwiepten ritselend terug en ze was binnen.

'Hoi,' zei ze eenvoudig.

Jakob bloosde tot onder zijn hemd. Was het omdat hij haar zo leuk vond, terwijl hij toch met Eva ging? Of omdat hij haar zo leuk vond en er dus liever iets beter had uitgezien?

Hij besloot tot het laatste.

'Sorry,' stamelde hij, 'dat ik er zo uitzie. Maar ik heb de hele dag...'

'Weet ik toch.'

'O ja,' begreep Jakob. 'Jij bent al in morgen.'

'Hè?'

'Ik heb je toch morgen in de put gezien.'

'Dat heb *ik* niet gezien... Ik ben hier net.'

'Maar je bent er morgen ook nog, dus dan kan ik je alles toch al verteld hebben?'

'Morgen misschien, maar nu weet ik nog van niks. *Ik* heb niet in de put gekeken. Gaat alles goed, tot morgen?'

'Weet je dat dan niet?'

'Nee, dat zeg ik toch...'

'En je weet wel wat ik vandaag...'

'Wacht nou even... Gáát alles goed, tot morgen?'

'Fantastisch zelfs,' zei Jakob, en voelde dat het bloed dat net zo'n beetje uit zijn hoofd weg begon te trekken als een springvloed terug omhoogschoot. 'Het loopt goed af.'

'Dacht ik wel,' zei Neeltje.

'Maar hoe weet je wat ik vandaag allemaal...'

'Ik was het meesje.'

'Was jij...? Kun jij je veranderen?'

'Dat zie je.'

'Nou ja,' zei Jakob, 'ik snap er ook niks van wat hier allemaal gebeurt. Het enige wat ik zeker weet is dat er niets is wat *niet* kan.'

'Alles kan,' knikte het meisje, 'en ik zal je nog heel wat uit moeten leggen voor je er iets van begrijpt. Dat klopt.'

Ze begon de dekens op de grond uit te spreiden. Vier oude paardendekens, aan elkaar genaaid tot twee slaapzakken. Ze legde ze vlak naast elkaar, keek op, en zag Jakobs verlegen blik. Ze glimlachte.

'De nachten kunnen koud zijn in de herfst,' zei ze. 'Vooral als het overdag nog zulk mooi weer is. Dus iedere warmtebron is mooi meegenomen.'

Jakob knikte.

'En een blozende jongeman is helemaal geweldig,' zei ze. 'Als er *iets* warmte geeft...'

Wat een pestkop, dacht Jakob, daar gaan we weer... En ja hoor, hup, daar ging z'n bloed weer omhoog. Voor de derde keer in drie minuten stond hij als een gek te blozen. Ik lijk wel een jojo, dacht hij, en hij zei: 'Ik dacht dat jij een mannetje was.'

'Een wát?' vroeg het meisje. 'Een mannetje?'

Ze gooide haar hoofd in haar nek en schaterde het uit.

'Stil toch...!' siste Jakob.

'Jij hebt gezegd dat we tot morgen veilig zijn,' zei het meisje. 'Ja toch...?'

'Dat zag ik in de put. Dat zeiden wij...'

'Dan is het zo. Wij liegen niet. En de put liegt ook niet... Ik neem aan dat de bomen ons vannacht zullen beschermen. We kunnen wel licht maken ook. Als de put zegt dat we veilig zijn, zijn we écht veilig...'

Ze diepte waxinelichtjes op uit de mand, zette ze op de rand van de put en stak ze aan.

'Kinderachtig putje, vind je niet?' vervolgde ze. 'Alleen maar morgen laten zien, en geen dag meer... Het Houtvolk heeft het gebouwd voor benarde tijden. Konden ze hun plannen voor de volgende dag testen. Wat je ziet hangt namelijk af van wat je van plan bent. Wat was jij van plan te doen toen je in de put keek?'

Jakob haalde zijn schouders op.

'Niets,' zei hij. 'Hier blijven tot er iets gebeurde. Ik wist zelf niet wat te doen, dus ik besloot niks te doen tot ik een teken kreeg of zo.'

'Heel verstandig. Als je van plan was geweest de strijd aan te binden met de karpermannen, had je vast iets minder aangenaams in het water gezien...'

'Dan maken we morgen ook een goed plan,' begreep Jakob. 'Want morgen zien we dat alles goed afloopt.'

'Wij wel,' zei het meisje. 'Wat zei je nou net over een mannetje?'

Ze spreidde een gebloemd tafelkleedje uit en begon etenswaren uit te stallen. Het werd gezellig in hun schuilplaats. Jakob zag kaas, kippenpootjes, stokbrood... Het meisje keek op.

'Waar zit je met je gedachten?'

Wat had ze ook alweer gevraagd? O ja. Jakob grinnikte.

'Ik dacht dat je een mannetje was,' zei hij, 'omdat je zo'n zwart domineesstropdasje om had.'

'Stads haantje!' riep het meisje.

Wie heeft dat eerder tegen me gezegd? dacht Jakob. En hoe weet ze dat ik uit de stad kom?

'En de meesjes zonder stropdas zouden dan vrouwtjes zijn? Nee, jongetje. Alle koolmeesjes, mannetjes en vrouwtjes, hebben een keurig dasje om, en die zonder dasje, dat zijn pimpelmeesjes, mannetjes en vrouwtjes.'

'Sorry,' zei Jakob.

'Nu kun je toch wel zien dat ik een meisje ben?' vroeg ze, en in haar ogen gloeiden gevaarlijke plaaglichtjes op.

'Tuurlijk,' zei Jakob.

'Hoe dan?'

'Aan je haar en zo.'

'Jongens kunnen ook lang haar hebben.'

'Nou ja...'

Het meisje was ouder dan Jakob. Tenminste, zo zag ze eruit. Ze had flinke borsten. Maar om dat nou zomaar te zeggen: 'Je hebt flinke borsten...' Jakob vond het de laatste tijd erg moeilijk om de leeftijd van meisjes te schatten. Soms zag je in de verte een paar volwassen vrouwen lopen en dan bleek als je dichterbij kwam dat ze je buurmeisjes waren, die hooguit één jaar ouder waren. Maar dit meisje práátte ook alsof ze een stuk ouder was. 'Jongetje,' zei ze... Dat soort dingen.

'Nou?' vroeg ze.

Jakob raapte al zijn moed bij elkaar en bekeek het meisje van top tot teen. Zij keek glimlachend toe hoe hij haar bekeek, wat het kijken er bepaald niet gemakkelijker op maakte. Jakob zag het donkere haar, dat in twee strenge vlechten langs haar slapen hing en haar oren aan het gezicht onttrok, haar blauwgrijze ogen met de plagerige twinkeling, hij liet zijn blik langs haar neus glijden, naar haar mond, die een klein stukje openstond en vochtig glom in het licht van de vlammetjes... Verder! Hij zag haar hals die verdween in een tot aan het bovenste knoopje gesloten jurk, waaronder... Verder!

Nu pas, nu hij helemaal tot rust gekomen was en de toekomst in ieder geval twéé dagen lang veilig leek, zag hij hoe ouderwets ze gekleed ging. Ze droeg een grijs-lichtblauw gestreepte jurk, die wonderwel paste bij haar ogen en bijna tot op haar enkels hing. Haar voeten staken in klompen! In welke tijd ben ik nu weer beland? dacht Jakob. Ze leek zo weggelopen van een folkloristische braderie met oude ambachten!

'Mooi, hè?' zei het meisje. 'Ik heet Neeltje.'

'Wist ik,' zei Jakob. 'Ik heet Jakob.'

'Wist ik,' zei het meisje. 'Heb je honger?'

Ze ging op de rand van de put zitten en tikte met haar vlakke hand op de stenen naast haar. Jakob ging zitten.

'Tast toe,' zei ze.

Jakob nam een kippenpootje en begon te kluiven. Neeltje opende een fles melk. Ze aten en dronken.

'Waar kom jij vandaan?' vroeg Jakob.

'Uit het dorp.'

'Woon je daar?'

'M'n hele leven al.'

'Hoe doe je dat met dat meesje?' vroeg Jakob.

'Kwestie van oefenen,' zei Neeltje.

Ze giechelde met volle mond. Jakob zag vezeltjes kip en spatjes melk naar buiten vliegen. Hij had een geweldige hekel aan mensen die smerig aten, maar giechelen met volle mond vond hij wel iets hebben. Iets liefs.

'Ben je hier wel eens vaker geweest?' vroeg Jakob. 'Ik bedoel niet in dit bos, maar in deze vreemde toestand. In deze tijd... Is het een verhaal?'

'Zoiets,' zei Neeltje, en was opeens weer ernstig. 'Ik heb dit een paar keer eerder meegemaakt. Het Houtvolk heeft me altijd geholpen. Zij hebben me geleerd me te veranderen. Ik had wel eerder willen komen,' zei ze, 'in deze gedaante, bedoel ik, maar je was zo eigenwijs. Je had niet door dat ik je wilde helpen en liep de hele poos de verkeerde kant op. En ik wilde je niet kwijtraken. Meesjes zijn sneller dan meisjes. Ik moest weten waar je uithing. Pas toen ik je naar deze put geloodst had, wist ik dat je veilig was... Maar man, wat liep jij te treuzelen onderweg! Terwijl het krioelde van de karpermannen!'

'Zijn we nu écht veilig?' vroeg Jakob.

'Echt,' zei Neeltje.

'Maar wanneer is het afgelopen? Wanneer komen we terug in onze eigen tijd?'

'Het Houtvolk,' zei Neeltje, 'zal ons redden. Maar dat kan pas morgennacht. Het heeft geen zin ze nu op te zoeken. Ik weet wel waar ze wonen, maar we kunnen niet naar binnen. Morgen is het nieuwe maan en dan weet ik waar ik ze kan vinden.'

'Dus het Houtvolk bestaat écht!'

'Kijk eens om je heen,' zei Neeltje. 'Hun zielen huizen in de bomen.

Dacht je dat alles per ongeluk omviel toen jij hier kwam? Dat alles zomaar dichtgroeide? Ze weten al dat we er zijn en kennen het gevaar dat ons bedreigt... Kom, we gaan slapen.'

'Hoe kan ik nou slapen?' vroeg Jakob. 'Het krioelt hier van de kar- permannen – dat zeg je zelf.'

'Ga nu maar gewoon lekker liggen,' zei Neeltje. 'Slaap je niet, dan rust je toch.'

Jakob schoof in een slaapzak. Ze praat als mijn moeder, dacht hij, en hij viel in slaap. Hij merkte niet dat Neeltje even later, in haar slaap- zak, dicht tegen hem aan kroop. Hoewel... hij glimlachte in zijn slaap.

Er was geen enkele reden meer om jaloers te zijn op de Jakob in de put.

Het Houtvolk

'Eens en altijd woont en woonde hier het Houtvolk, in de bossen, in de duinen, tot aan zee. Men beweert dat het ook elders voorkomt, maar dat is niet bewezen. Alle verhalen spelen zich hier af, in Kennemerland.

Men zegt dat het Houtvolk kinderen rooft, maar dat is niet waar. Wel komt het voor dat kinderen de kleine vrouwen en jongemannen met hun stralende bruine hoofdjes en hun wuivende pluishaar door het bos zien gaan en met betoverde ogen achter hen aan lopen en met betoverde oren naar hun liedjes luisteren en verdwalen. Maar het Houtvolk brengt de kinderen altijd terug naar de mensen. Soms na een dag, soms na een week, soms na maanden, soms na een jaar. Maar dan... wat is een jaar bij het Houtvolk? Een paar dagen in onze wereld. Niet meer. Ze komen terug, maar zijn veranderd... Gek geworden, zeggen de mensen. En ja, ze leven van de wind, zingen liedjes die geen mens verstaat, dansen op een halve schoen. En als je ze naar het Houtvolk vraagt, dan huilen ze. Hun huilen is erbarmelijk. Het snijdt door je ziel.

De kinderen die het Houtvolk hebben gezien zullen nooit volwassen worden. Daaraan kun je ze herkennen. Ze willen dat ook niet, ze willen blijven wie ze zijn. Soms kan dat, ook al groeit hun lijf met alle winden mee en lijken ze twintig, veertig, tachtig jaar oud. Dan kiezen ze het goede beroep en worden schilder of dichter, of ze maken muziek. Maar velen maken de fout tóch mee te gaan doen in de wereld van de volwassenen. Tja, en dán worden ze pas gek...

Het Houtvolk is van alle tijden, van nu, van toen tot wat hierna komt, maar dit verhaal speelt zich tweeduizend jaar geleden af. In die tijd hielden de Romeinen de helft van Nederland bezet, de zuidelijke helft. De Rijn was de grens. Hier waren ze gekomen tot het Oer-IJ en aan de oever daarvan, daar waar nu Velsen ligt, hadden ze een fort gebouwd van waaruit ze uitvallen deden, Kennemerland in.

De dochter van de garnizoenscommandant van dat fort zag het Houtvolk. Zij kon de kleine vrouwen en mannen met hun stralende bruine hoofdjes en hun wuivende pluishaar zien, want ze had ze hard nodig. Met betoverde ogen en oren danste ze achter hen aan en verdwaalde. Na drie dagen kwam ze terug. De commandant was de koning te rijk. Maar zijn dochter was wel vréémd geworden: ze danste op een halve schoen, en dan die liedjes...

"Het zijn de heksen," zei de commandant, "de heksen die de baas zijn van de barbaren."

Hij had gelijk. Niet in zijn woordkeuze, want heksen en barbaren hebben nooit bestaan, maar in die tijd werden zowel de mensen als het Houtvolk hier geregeerd door vrouwen. Wijze vrouwen. De Romeinen waren als de dóód voor vrouwen. Bij het Houtvolk zijn de vrouwen nog steeds aan de macht.

De commandant was een fantasieloze vechtjas en kon het niet uitstaan dat zijn dochter de hele dag de vrolijkste en onbegrijpelijkste liedjes liep te zingen. Hij kende de verhalen over het Houtvolk en besloot het uit te roeien. Dat was hem met de *mensen* in het drassige Noorden nog steeds niet gelukt, maar die kleine wezens mochten geen probleem opleveren. Hij riep zijn honderd beste soldaten, zijn tovenaar, en... zijn dochter bij zich. Het was midden in de nacht. En ten overstaan van de soldaten sneed de tovenaar de tong uit de mond van het meisje.

"Afgelopen," zei de commandant tegen zijn dochter. "Geen verhalen meer over het Houtvolk. Geen liedjes meer."

Hij zond haar heen.

Zijn dochter danste weg, op een halve schoen, het fort uit, de rivier over, de weiden in. Vreemde wijsjes stegen op uit haar keel en smolten samen met de woorden in haar hoofd.

De tovenaar nam de tong, perste het bloed eruit en mengde het met wisselkruiden. De liefde voor de kleine lieden van het Houtvolk die in het bloed zat werd door de kruiden omgezet in haat. Haat jegens alles wat klein was: Houtvolk, kinderen, dieren. Iedere soldaat kreeg drie druppels bloed. Zo werden zij van denkende mensen kille moordmachines. Ze wisten wie ze moesten doden. De commandant nam de vlecht die zijn dochter eens had laten afknippen, reeg de wit geworden tong aan het haar, en hing die om zijn hals. Hij en de soldaten gingen op pad en wie zijn kinderen niet binnenhield die nacht, die was ze kwijt.

Ze staken de rivier over, marcheerden door weilanden en over geestgronden, sloegen met hun korte zwaarden naar torren, meesjes, pinksterbloemen, rozenstruiken, naar al wat kleiner was dan zij en toch durfde te bewegen, al was het maar wiegend in de wind, en 's ochtends kwamen zij aan de rand van het bos. Dit bos. Hier. In Bakkum... De specht liet korte roffels horen en de reigers joegen elkaar spelend na boven de bomen. Zo vroeg in de ochtend was het. En van het Houtvolk geen spoor.

Maar ze waren er wel, de kleine vrouwen en mannen met hun stralende bruine hoofdjes en hun wuivende pluishaar. O ja...! Want de dochter van de commandant léék wel gek, maar ze wás het niet! Ze begreep heel goed wat haar vader van plan was en dansend op een halve schoen en woordloos zingend was ze op pad gegaan, ver voor de soldaten uit, om het Houtvolk te waarschuwen.

Ze waren er allemaal, de bruine vrouwen en de jongemannen en de kinderen. Ze hielden zich schuil in het kreupelhout aan de zoom van het bos en wachtten de soldaten op. Niet dat ze wilden vechten, nee, ze waren wel wijzer. Ze zaten in het kreupelhout en keken toe hoe de Romeinse soldaten naderden door de weilanden, over de geestgronden, en met hun korte zwaarden sloegen naar alles wat kleiner was dan zij en toch durfde te bewegen. Het Houtvolk zat en keek en de dochter van de Romeinse commandant was één van hen. Voorgoed.

De commandant trad naar voren, hief zijn zwaard en schreeuwde naar de bosrand: "Kom tevoorschijn, klein heksenspul! Je kunt onze kinderen gek maken, maar ons niet! Kom tevoorschijn!”

Een messcherp lachje ging als een briesje door het bos en heel even doken de stralende bruine hoofdjes van het Houtvolk op uit het groen van het struikgewas. Hun krijtwitte pluizenbollen golfden in de wind. Toen waren ze weer verdwenen. Ze slopen weg, dieper het bos in. De soldaten stampten hen briesend achterna. De commandant voorop, met op zijn borst de tong van zijn dochter, die wit licht uitstraalde in het nog schemerige bos.

Op de meest onverwachte plekken lieten de kleine vrouwen en mannen hun pluizenbollen zien. Ze zweefden door het bos, zo leek het, sierlijk als wolken, en daarachter, lomp als wankelende doodskisten, liepen de soldaten. Duizenden pijlen schoten zij af, maar geen ervan trof doel. Zo lokte het Houtvolk de soldaten door het bos heen naar de duinen, en door de duinen naar het strand, naar de zee. Naar het Westen waar de dood woont...

De soldaten stampten het verlaten strand op.

“Daar heb je ze!” schreeuwde de commandant.

Hij wees naar de zee. En inderdaad, voor wie door haat verblind is lijkt de branding een leger, een groot leger van kleine vrouwen en mannen met wuivende krijtwitte pluizenbollen. De commandant stond aan de vloedlijn en zag de golven als briesende, ziedende, in ontembare drift over elkaar struikelende vijanden op zich afkomen.

“Val aan!” schreeuwde hij. “Dit is onze kans!”

Hij stortte zich in het water en zijn mannen volgden hem. Ze konden niet denken, dus ze waren niet bang. Zij wierpen hun lansen en hieuwen met hun zwaarden, schuim spatte hoog op in het licht van de zon, die in het oosten boven het duin uitklom.

Op de duinen zat het Houtvolk. Ze keken toe. Hun witte pluizenbollen golvend op de wind. Ze zagen hoe de soldaten woest om zich heen maaiend in hun zinneloze strijd steeds verder de zee inliepen, naar het westen, naar het westen waar de dood woont, en uiteindelijk kopje-onder gingen en verdronken. Op het laatst was alleen de garnizoenscommandant nog in leven. Hij stond tot zijn nek in het water en kon niet meer van zijn plaats komen. Zijn zware wapenuitrusting maakte bewegen onmogelijk. De Koningin van het Houtvolk daalde af naar het strand en riep hem aan. Met een uiterste krachtsinspanning draaide de commandant zich om. Hij zag de Koningin, met achter haar, op de toppen van de duinen, kleine silhouetten tegen de kraakheldere ochtendhemel, haar volk.

"Ach mevrouw," smeekte de commandant, en keek naar zijn mannen die, hoe zwaar ze ook waren, ontzield door de golven het strand opgerold werden, "kunnen we niet onderhandelen?"

"Daar ben ik voor gekomen," zei de Koningin.

"Kunt u mijn verdronken mannen weer tot levende soldaten maken?"

"Dat kan ik, als u ons voortaan met rust laat."

"'s Nachts," zei de commandant. "Laten we het zo afspreken: de nacht is voor jullie, de dag voor ons mensen."

"Nee," zei de Koningin, "de nacht is slechts de helft van wat wij willen. Wij willen ook de dag. Dag én nacht, om te zwerven door de bossen en de duinen tot aan zee."

"De nacht," zei de commandant. "Ik kan u niet meer geven dan de nacht. Als de kinderen slapen..."

"Nee," zei de Koningin.

De commandant kapseisde van uitputting, verdween onder water en ook hij verdronk. Geen van de honderdéén Romeinen die die nacht ten strijde waren getrokken keerde terug naar het fort aan de oevers van het Oer-IJ...

Maar het Houtvolk kan niet doden. Ze wekten de soldaten en hun commandant weer tot leven, maar gaven ook hun slechts de helft van wat zij werkelijk verlangden: ze kregen hun leven terug, jawel, maar niet als soldaten, nee, als karpers – die zware vissen in hun harnassen van schubben die nu nog in het duinmeer leven en daar, als er kinderen met brood op het bruggetje verschijnen, met wijd opengesperde kaken ronddrijven. Niet om het brood, nee, om de kinderen. Zo loeren ze al eeuwen op hun kans.

's Nachts zien ze woedend en machteloos toe als het Houtvolk speelt en danst aan de oevers van het meer. Want de Romeinen zijn verdre-

ven, maar het Houtvolk is voorzichtig geworden en laat zich alleen
's nachts nog zien. Er zijn immers altijd nieuwe legers met nieuwe com-
mandanten en de dag kan komen waarop een kind op het bruggetje
bij het meer ten val komt en zich verwondt, en bloed tussen de planken doorsijpelt, het water in... Drie druppels zijn genoeg. Daarom
houdt het Houtvolk zich schuil als de zon schijnt en komen ze pas in
de nacht tevoorschijn. Dan zijn ze te zien, voor wie goed kijken kan
tenminste. Maar de meeste mensen die 's nachts in het bos verdwalen
zien niets dan duisternis. Die hebben de verkeerde ogen, die kijken
niet, die zoeken: de uitgang van het bos.

De dochter van de garnizoenscommandant bleef bij het Houtvolk,
de rest van haar leven, en dat was lang. Toen ze stierf legden ze haar
aan de bosrand neer en schonken haar ziel een nieuw lichaam: de scheve boom aan het begin van het duinpad, die daar nu nog staat, als een
poort tussen twee werelden – een boom voor de mensen, een poort
voor het Houtvolk.'

'Zo,' zei Neeltje, 'en nú mag je vragen stellen.'

Maar Jakob vroeg niets. Hij was bezig alle antwoorden die zij hem
met haar verhaal gegeven had in de juiste volgorde te zetten, opdat hij
eindelijk zou begrijpen waar hij beland was. Dat duurde een poosje.

Het was al volop dag. Groen licht viel hun schuilplaats binnen. Jakob had lang geslapen die nacht. Zonder angst. Toen hij wakker werd
keek hij recht in het glimlachende gezicht van Neeltje. Ze gaf hem si-
naasappelsap en maakte brood klaar. Prachtig was ze, zoals ze haar
strakke vlechten met een kleine beweging van haar hoofd op haar rug
wierp... Dat zag je niet vaak. Zoals ze giechelde als je te lang naar haar
gluurde. Zoiets fijns had Jakob zelden gehoord. Alles heel gewoon, heel
dichtbij, maar toch... Toch was het net alsof ze niet bestond. Het was,
besloot Jakob, alsof hij tot over zijn oren verliefd zat te worden op een
meisje in een film. Ze redderde, ze neuriede, ze scharrelde rond op haar
hurken, ze glimlachte naar hem, ze vond hem blijkbaar aardig. Maar
ze zou nooit zijn meisje zijn, dat wist Jakob heel zeker. En dat was maar
goed ook, want hij had Eva.

Ze hadden ontbeten en Neeltje had het verhaal over het Houtvolk verteld, en toen het afgelopen was en hij een poosje nagedacht had, was er maar één vraag die Jakob wilde stellen:

'Wil je nog meer vertellen?'

En dat wilde ze.

Ze vertelde de geschiedenis van Kennemerland, van de oudste bevolking en de Romeinen, en de strijd die ze voerden; van de zee, die altijd Egmond te grazen nam.

'Bij iedere storm overspoelden de golven het dorp, en huizen, kerken en duinen werden weggeslagen. Maar de abdij van Egmond was wereldberoemd en geleerde monniken kwamen uit heel Europa om hier hun leven aan de wetenschap te wijden. Zij vonden de dijk uit en begonnen te bouwen. Het was een enorm succes: Egmond bleef droog. De zee sloeg nu over Bakkum heen! Zij van Bakkum pikten dat niet en trokken gewapend met spaden op naar Egmond om de dijken door te steken. Dat was ook een enorm succes: de zee spoelde weer over Egmond heen! Het liep uit op oorlog, een echte oorlog tussen Bakkum en Egmond, en vele mannen sneuvelden...'

En ze vertelde van de graven van Egmond; van de Spanjaarden die kwamen; van de slag bij Castricum in 1799; van de Duitse bezetting – en net toen Jakob dacht dat het altijd oorlog was geweest in Kennemerland en de bodem doordrenkt was van bloed, vertelde Neeltje over de geboorte van het Houtvolk in het maanlicht en over hun feesten:

'Iedere maand, in de nacht van nieuwe maan, vieren ze feest op een weide hier niet ver vandaan. Dan vrijen ze zich suf en...'

'Dan wát?' vroeg Jakob.

'Vrijen,' zei Neeltje. 'Nooit van gehoord?'

'Jawel,' zei Jakob verward, 'maar... ik bedoelde: waarom doen ze dat niet bij volle maan? Dan zie je nog wat.'

'Wacht nou maar af,' zei Neeltje. 'We gaan er straks heen en dan zie je het vanzelf.'

'Als ik al wat zie,' mompelde Jakob.

'Wie is er hier de expert?' vroeg Neeltje.

'Jij.'

'Nou dan... Eerst vrijen ze de hele nacht, dan vallen de jongemannen uitgeput neer. De vrouwen stoppen een vrucht in de monden van de mannen, een kastanje, een eikel, of het helikoptertje van de esdoorn, de mannen veranderen binnen een uur in vruchtbare aarde en op die plekken groeien later kastanjes, eiken, esdoorns – loofbomen. De naaldbomen zijn hier later pas gebracht, door de mensen. Alle loofbomen in dit bos hebben de ziel van een van het Houtvolk in zich. Ze kunnen zien en horen, ruiken en voelen ook, en denken als de besten. Ze vinden het prettig als kinderen in ze klimmen – daar snappen boswachters niks van. Ze kunnen dansen, deinen min of meer – heen en weer, met hun wortels in de aarde, en soms, heel soms, maar alleen als het heel hard nodig is, kunnen ze van hun plaats komen en zijn hun takken machtige wapens.'

'En de vrouwen?'

'De vrouwen nemen afscheid van de jongemannen en dragen hun kinderen.'

'En daar gaan wij straks heen?' Jakob kon een grimas van afkeer niet onderdrukken.

'Het is prachtig, je zult het zien. Je bent uitverkoren als je het feest van het Houtvolk mag meemaken.'

'O.'

'En je zult wel moeten,' zei Neeltje. 'Zonder het Houtvolk zit je hier vast. Als we vanavond niet gaan, moeten we bijna een maand wachten voor we een tweede kans krijgen.'

De schemering nam bezit van het bos. Het werd tijd om op pad te gaan. Neeltje begon de dekens op te rollen en de overgebleven etenswaren terug te stoppen in de mand. Jakob probeerde te helpen, maar hij kreeg geen kans. Hij ging op de rand van de put zitten.

'Neeltje,' zei hij.

Het was voor het eerst dat hij haar naam uitsprak waar ze bij was. Het was fantastisch. Als het niet krankzinnig was, zou hij het zo nog eens willen doen: Neeltje, wat scheelt je? Een appel met een steeltje... Het was alsof het uitspreken van haar naam haar dichterbij bracht. Minder film. Alsof het zeggen van een naam een betovering kon doorbreken. Of oproepen. Ze staakte haar bezigheden en keek hem aan.

'Jakob,' zei ze.

Dat was een stuk minder, vond Jakob. Belachelijk, dat hij eerst haar naam noemde en zij daarna de zijne. Toch weer film. Slechte film zelfs. Terug naar AF.

'Neeltje,' zei hij nog eens, als om het goed te maken, om haar weer wat dichterbij te halen, 'als we het Houtvolk zien, worden we nooit volwassen. Dan krijgen we liedjes in ons hoofd, dan dansen we door de dorpen. Dan worden we misschien wel gek... Ben jij daar niet bang voor?'

'Nee. Ik ben hier al vaker geweest.'

'Ja, maar je bént nu nog niet volwassen. Ik bedoel, je weet nog niet wat je later gaat missen.'

'O jawel, ik ben veel ouder dan jij denkt.'

'Maar toch nog niet volwassen?'

'Nee, dat ben ik nooit geworden. En dat is heerlijk. Geloof me maar... Je wordt niet écht gek. De mensen zullen *denken* dat je gek bent. Dat is iets anders. Omdat je meer weet dan zij, meer ziet, meer begrijpt... Omdat je de goede ogen hebt. Maar als je daar slim mee omgaat, zullen ze je juist bewonderen. Probeer alleen nooit te zijn als zij. Want dan ga je kapot.'

'Móeten we het Houtvolk zien?'

'Kijk in de put, dan weet je wat ons te wachten staat.'

Verdomd! De put! Jakob draaide zich om en boog zich over het water. Hij zag zijn spiegelbeeld, en even later dat van Neeltje naast het zijne. Gewoon hun eigen gezichten, aandachtig turend in de put. Er doemde geen toekomst op uit het water.

'Hij doet het niet,' zei Jakob. 'Moeten we iets zeggen – een soort spreuk? Nee toch?'

'Ik denk,' zei Neeltje, 'dat het morgen afgelopen is.'

'Dood?'

'Nee, dan zagen we dat, want dan zouden we *hier* dood zijn... Ik denk dat we morgen niet meer hier zijn. Niet meer in het bos, niet meer in deze tijd. Waarschijnlijk zijn we veilig thuis. Dat kun je niet zien.'

'Zeker weten?'

'Wat was je van plan toen je keek?'

'Nou, gewoon... naar het Houtvolk.'

'Ik ook. Bedenk eens wat anders.'

'Dat we proberen nu naar huis te wandelen?'

'Bijvoorbeeld.'

Jakob stelde het zich voor: ze namen hun spullen op, floten een lullig kampeerliedje, verlieten hun schuilplaats en wandelden gezellig door het bos terug naar het dorp. Er doemden beelden op in het water. Jakob zag de houten brug over het duinmeer. Hij zag de brug vanuit het bos. Aan de overkant begon het duinpad naar het dorp. Zie je wel! dacht hij. We zijn bijna thuis! Nu nog even het bruggetje over...

'Zie jij wat ik zie?' vroeg hij.

'Ja,' zei Neeltje. 'Maar ik zie ons niet. En ik zie wél iets anders...'

Jakob keek beter. Toen zag hij het ook. Onder de brug kwam het water in hevige beroering. Hij herkende het beeld maar al te goed en wat hij verwachtte gebeurde: de karperman klom uit het water. Met zijn bebloede muil en stukgereten kleding. Maar het was er niet één dit keer... Tientallen wanstaltige monsters klauterden achter elkaar het water uit, de oever op, naar de brug.

'Ze komen allemaal tot leven,' fluisterde Neeltje. 'Dat betekent dat ze liters kinderbloed voorhanden hebben... Wat doen we? Wandelen we nu naar huis?'

'We wandelen naar het Houtvolk,' zuchtte Jakob.

De beelden verdwenen. Het water werd onschuldig water. Er dreven zelfs bladeren op.

'En,' vroeg Jakob, 'leefden we nog lang en gelukkig?'

'Jij lang,' zei Neeltje, 'ik gelukkig.'

'Hoe bedoel je? Ik niet gelukkig?'

'Van mij weet ik het zeker.'

'O,' zei Jakob. 'Van mij niet?'

'Dat maak je zelf uit.'

Ze stond op, nam een dekenrol onder haar arm en liep naar de muur van levend hout die hen al die tijd beschermd had.

'Kom,' zei ze, 'het is tijd om te gaan.'

Jakob stond ook op. Hij bukte zich, klemde de tweede dekenrol onder zijn arm, raapte de mand van de grond en volgde Neeltje.

'Verrek,' zei Neeltje, 'we moeten je nog geruststellen.'

Jakob giechelde. Hij was het helemaal vergeten! Maar ze had gelijk, dit moest gebeuren. Anders zou hij gisteren misschien in paniek raken. Of beter: geraakt zijn. Neeltje kwam naast hem, ze legde haar arm over zijn schouder en zei:

'Jakob, dit is morgen. Je kunt in deze put een stukje toekomst zien. Een piepklein stukje. Vierentwintig uur, meer niet. Dit is morgen. Zie je jezelf?'

Ze nam Jakobs hand en stak die omhoog. De dekenrol gleed onder zijn arm weg en viel op de grond... Ja, zo is het gegaan, dacht Jakob, zo heb ik het gezien. Shit... straks moet ik. Wat heb ik ook alweer precies gezegd? Ik bloosde als een gek, dat weet ik nog wel. Hij grijnsde bij de herinnering en voelde hoe het bloed weer naar zijn hoofd steeg.

'Goed dat ik eraan dacht, hè?' zei Neeltje. 'Anders was je gisteren doodsbang geweest. Zeg even tegen jezelf dat je niet bang hoeft te zijn.'

Jakob raakte in paniek. Alsof hij een toneelstukje moest doen op school. Hij bracht zijn mond vlak bij Neeltjes oor en fluisterde: 'Ik ben mijn tekst kwijt!'

En dat was zó krankzinnig om te zeggen, hier, in dit schemerige bos, tegen een meisje dat hij nauwelijks kende, omringd door wie weet hoeveel vijanden, dat de zenuwen hem bij zijn kladden grepen en hij dubbelsloeg van het lachen.

'Ha die Jakob,' hikte hij, 'je moet gewoon bij de put blijven. Dan ben je veilig. Dan gebeurt wat je nu met mij ziet gebeuren morgen met jou. Niks engs... Kun je het nog volgen?'

Dat was het, dacht hij. Dat was het precies. Dat is precies wat ik gezegd heb. Misschien kon ik niks anders zeggen. Lag alles al vast. Was het gisteren al bepaald. Maar, besefte hij, door dat zenuwlijerachtige gedoe van me heb ik het vast niet goed genoeg gezegd. Maar... had ik het beter kunnen zeggen?

'Ik snapte er geen moer van,' zei hij tegen Neeltje, 'toen ik dit gisteren zag.'

En hij schrok. Hij zat muurvast aan zijn woorden van gisteren! Ook dit had hij precies zo gezegd! Hij was het vergeten, maar nu hij de woorden hoorde herkende hij ze.

'Ik leg je straks alles uit,' zei Neeltje in de richting van de put. 'Ik ben zo bij je, over een minuut of tien. Toch?'

Ze keek Jakob vragend aan. Jakob knikte. Voor het eerst speelde hij bewust en vol overtuiging zijn rol, toen hij zei:

'Dit is Neeltje, dit is een meisje dat doet wat ze belooft. En als ze er eenmaal is zul je je geen moment vervelen, want ze kan fantastisch vertellen.'

Nu moet ze een kleine buiging maken, dacht Jakob, en dat deed Neeltje. Het werd zelfs een gróte buiging, want ze sloeg dubbel van het lachen. Jakob brulde mee. Hij hoefde niets meer te zeggen, hij was klaar. Hij kon lachen...

'We hebben net in de put *ons* morgen gezien,' schaterde Neeltje, 'en alles komt in orde. Waarschijnlijk zijn we morgen, overmorgen voor jou, weer thuis.'

Jezus, dacht Jakob, wat was ik gisteren jaloers! Ik, met zo'n mooi meisje! Neeltje stapte door de takken en de bladeren naar buiten. Jakob raapte de dekenrol van de grond, kwam overeind... en werd vol in zijn gezicht geraakt door een elleboog van de terugdeinzende Neeltje.

'De karpermannen!' siste ze. 'Ze staan in een kring om ons heen...!'

Jakob wankelde achterwaarts en plofte neer op de rand van de put. 'Hoe kan dat nou?'

'Ze hebben al die tijd geroken dat we hier zijn, maar ze konden niet binnenkomen. Het Houtvolk is taai... De karpermannen komen altijd op de geur van het kleine af. Ze ruiken ons op kilometers afstand. Net als gieren.'

'Hoeveel zijn het er?'

'Meer dan tien. Je hebt behoorlijk gebloed op de brug.'

Jakob sloeg met zijn vlakke hand op het water. 'Achterlijk putje.'

Ze zwegen en rommelden rond in hun gedachten.

Toen zei Jakob: 'Ik ben hier gekomen om iets te vinden voor mijn grootvader, iets wat hem beter kan maken. Nu zal ik al blij zijn als ik hier zelf levend uitkom. Dan maar gek...'

'Daar ben je nog het meest bang voor, hè?' zei Neeltje. 'Voor die gekte...'

Jakob knikte.

'Ik heb je toch gezegd dat dat niet nodig is! Je wordt vast en zeker erg gelukkig.'

'En wat gaan we nú doen om gelukkig te worden?'

'We moeten het van onze snelheid hebben,' zei Neeltje. 'Op den duur verliezen we het van ze, want zij worden nooit moe en kunnen eeuwen voortmarcheren, dus we moeten proberen bij het Houtvolk te komen voor wíj moe zijn. En dan zijn we écht veilig.'

Waar heb ik dat meer gehoord? dacht Jakob. Maar hij zei niets. Neeltje had gelijk. Hier moesten ze weg. Water genoeg, maar het eten was bijna op. En zelfs al groeide het brood aan de bomen, wat had het voor zin de rest van je leven in een ruimte van vier bij vier door te brengen – ook al was het met Neeltje?

'Hoe doen we het?' vroeg Jakob.

'Alsof de Duivel ons op de hielen zit,' zei Neeltje. 'Kom vlak achter me staan. Als ik "ja" zeg, gaan we. Volg mij. Ik weet de weg. Het is niet ver.'

Jakob moest denken aan een film die hij eens gezien had. Het verhaal ging over twee aardige bankrovers die aan het eind door de politie opgejaagd werden en in een vervallen huis terechtkwamen. Ze besloten zich schietend een weg naar buiten te banen. Wat ze niet wisten, was dat de politie inmiddels assistentie had gekregen van het halve leger en dat ze opgewacht werden door honderden soldaten met karabijnen. Ze renden naar buiten. Je hoorde het salvo uit al die geweren, maar het beeld bevroor. Hoefde je niet te zien hoe ze doorzeefd werden. Het was een weinig bemoedigende herinnering. Jakob ging vlak achter Neeltje staan en wachtte. Zij boog de twijgen iets opzij en gluurde naar buiten.

'We gaan schuin naar links,' fluisterde ze, 'daar staan er twee zo'n twintig meter van elkaar. Als we snel zijn kunnen we tussen hen door. Ben je klaar?'

'Wat is links ook weer?' piepte Jakob.

Neeltje wees zonder om te kijken naar links.

En ze fluisterde: 'Ja!'

Neeltje sprong naar voren. Jakob achter haar aan. In één oogopslag zag hij zo al vijf à zes karpermannen. Neeltje rende op de ruimte tussen twee van hen af, maar die stampten, elkaar steeds dichter naderend, op haar af. Dit ging fout...! De mannen trokken hun korte zwaarden uit de scheden.

'Jij rechts, ik links!' schreeuwde Jakob.

Neeltje dook meteen naar rechts, tussen twee bomen door, Jakob maakte een scherpe zwenking naar links. De logge monsters konden zich zo snel niet wenden. Voor ze hun lijven weer op koers hadden waren Neeltje en Jakob hen voorbij. Ze kwamen weer samen en sprongen over een diep ruiterpad.

'Het is maar vijfhonderd meter of zo,' hijgde Neeltje. 'Niet eens... En daar is een pad.'

Maar op het pad stond een karperman. Op zijn borst straalde een klein wit lapje licht uit... De uitgesneden tong van het Romeinse meisje! Daar stond haar vader, de commandant, met zijn wanstaltige karperkop waaraan de baarddraden donkerrood waren van het geronnen bloed. Dit was de ergste van allen!

Neeltje liet haar dekenrol vallen en Jakob deed hetzelfde. Ook de mand liet hij achter. Neeltje greep zijn hand en sleurde hem terug het ruiterpad in. Achter hen zette de commandant zich in beweging. Zijn stappen deden de aarde trillen tot waar de kinderen renden voor hun leven.

'Het is te rul hier,' siste Jakob.

Zijn voeten gleden bij iedere stap die ze deden weg in het zand en hij was nu al zó buiten adem dat hij bij ieder woord dat hij sprak het gevoel had dat hij kotste. Neeltje trok hem het struikgewas in.

'Gaan we zo wel goed?' hijgde hij.

Neeltje gaf geen antwoord. Ze denderde voort. Het was goed dat ze zijn hand zo stevig omkneld hield, want Jakob kon haar nauwelijks bijhouden. Ze trapten links en rechts op dor hout. Onder hun rennende voeten leek de hele wereld te breken en te versplinteren. Takken zwiepten in Jakobs gezicht en zijn adem klonk als een zaag in zijn keel. Alles maakt lawaai! dacht hij. Ze kunnen ons horen, ze kunnen ons volgen, ze hebben ons zo! We moeten weer een pad zien te vinden. Dat loopt lichter en zonder geluid. Maar het licht van de sterren was niet sterk genoeg om hun in dit dichtbegroeide gedeelte van het bos paden te tonen en het was de nacht van nieuwe maan. Heel even bleef Neeltje staan om om zich heen te kijken. Niet lang. Vlak achter hen klonk luid gekraak. Ze renden verder. Als dieren die vluchten voor vuur. Vijf minuten, zes minuten, langer. Jakob kón niet meer, maar hij móest. Die helse duisternis! Het enige wat hij soms dacht te zien als hij omkeek, was de donkere gestalte van de commandant, die de tong van zijn dochter in zijn hand had genomen en als een lantaarntje heen en weer liet zwaaien. Het witte licht wierp vonken op zijn getrokken zwaard.

Jakob was zó uitgeput, dat hij het liefst zou blijven staan met zijn kokende voorhoofd tegen de koele stam van een boom gedrukt, en dan maar zien wat ervan kwam. Afwachten, of dit verhaal goed of slecht afliep. Slecht dus. Jammer dan.

'Het zou toch góed aflopen?' piepte hij.

'Dat kan nog altijd,' hijgde Neeltje.

'En als ik hier nou gewoon blijf staan?'

'Probeer maar.'

'Dat durf ik niet.'

'Dat bedoel ik... Rennen!'

Ze vonden een pad. Hier brak niets, hier kraakte niets, ze konden verder zonder lawaai te maken. Maar het kloppen van mijn hart, dacht Jakob, het suizen in mijn hoofd, het gieren van de adem door mijn keel – zou je dat niet kilometers verderop kunnen horen?

'We zijn er bijna,' probeerde Neeltje hem gerust te stellen.

Het hielp niet. Jakob geloofde haar niet meer. Hij struikelde, zijn kletsnatte hand gleed uit de hare, hij viel en bleef liggen. Zware voetstappen naderden... Daar is hij dan, de karperman, daar is hij dan, de karperman, daar is hij dan, de karperman. De woorden gingen als een

liedje door zijn hoofd. De aarde huiverde onder zijn naar adem snak-
kende lijf. De stappen kwamen nader, maar Jakob wilde niet meer opstaan.

'Einde verhaal,' prevelde hij. 'En hij stierf nog lang en ongelukkig,
zonder ook maar één moment te begrijpen waaróm hij sterven moest.'

Een briesje leek door het kreupelhout te gaan, en even dacht Jakob
een messcherp, spottend lachje te horen. Neeltje greep hem bij zijn
broekband en sleurde hem de struiken in. Net op tijd. De commandant stampte langs. Snuivend, blazend, grommend – een vage schim,
nauwelijks zichtbaar in de maanloze nacht. Maar wat hij in zijn hand
hield straalde licht uit. Wit licht. Zo wit was wit nog nooit geweest.

Jakob bleef liggen. Op zijn buik, met zijn neus in de herfstbladeren. Hij ademde zo zwaar, dat hij de blaadjes opsnoof van de grond en
ze bij het uitademen weer van zijn neusgaten weg moest blazen. De
commandant was langsgedaverd en verdwenen. Het trillen van de aarde werd zwakker. Maar wanneer zou hij terugkomen? Lang kon dat
niet duren. Hij kon toch ruiken waar ze zich verborgen hielden? En
waar waren de andere tien, twaalf karpermannen?

Neeltje hees Jakob overeind en zette hem met zijn rug tegen een
boomstam.

'Wat ben je sterk,' fluisterde Jakob.

'Ik was bang,' zei Neeltje. 'Daar komt het van.'

'Ik dacht dat ons verhaal afgelopen was, een minuut geleden,' zei
Jakob. 'Ik snap het niet...'

'De put heeft ons nooit beloofd dat er niets engs zou gebeuren,' zei
Neeltje. 'En ook niet dat we zelf niets meer hoefden te doen. Ons is
alleen beloofd dat het goed af zou lopen.'

'En?'

'Ik weet het niet... De karpermannen volgen een dwaalspoor, en dat
kan maar één ding betekenen.'

'Het Houtvolk?'

Neeltje knikte.

'Zijn ze echt zó dichtbij?'

Neeltje knikte opnieuw en opeens vertrok haar gezicht, alsof ze een
hevige steek kreeg.

'Sorry,' zei ze met een idioot hoog stemmetje.

De tranen sprongen uit haar ogen en ze begon met lange uithalen te huilen. Ze probeerde erbij te lachen, maar dat was geen succes. Er kwamen alleen wat benauwde hikjes uit haar keel. Jakob keek verbijsterd toe. Ik moet iets doen, dacht hij. Als ik niet gehoord had dat ik nooit echt volwassen zal worden, zou ik denken dat dit een soort cursus was om volwassen te worden. Het probleem was dat Jakob wel *wist* wat hij moest doen, maar dat hij het niet durfde.

'Dit is de tweede keer dat ik dit meemaak,' piepte Neeltje, 'maar het went nooit.'

En daar moest ze zó om lachen, dat er een dikke sliert snot uit haar neus schoot. Ze veegde hem snel weg met haar mouw, maar Jakob had het gezien. En gek, dat gesnotter vond hij zó hulpeloos lief, dat hij opeens kon doen wat hij moest doen. Hij sloeg zijn armen om Neeltje heen.

'Ik was zo bang,' fluisterde ze.

'Wat dacht je van mij?' zei Jakob.

Hij voelde hoe ook in zijn ogen tranen opwelden, maar hij moest zich groothouden. Aan een jankende trooster had ze niks. Hij drukte haar hoofd tegen zijn borst en kuste haar, boven op haar hoofd, precies op de kaarsrechte scheiding. Een bedwelmende geur steeg op uit Neeltjes haar. Het was de geur van hooi en aarde die hij kende van de zomers in Frankrijk, als hij op het heetst van de dag niets maar dan ook *niets* te doen had dan wat luieren in de schaduw en kijken naar de altijd bedrijvige torretjes en vlinders. Het was een geur van geluk. Het liefst zou Jakob voor altijd zo blijven zitten.

Maar dat kon niet.

Zijn hart sloeg vreemd kalm, maar zijn hersens bonsden nog van spanning. Als de vuisten van een vluchteling op de poort van een nachtelijke stad. Waren ze nu eindelijk veilig? Neeltje was een meisje dat eerder van opluchting dan van angst huilde, maar wist zij alles? Waar was het Houtvolk? Jakob drukte nog een kus op haar hoofd en duwde haar voorzichtig van zich af.

'Zullen we verder gaan?' vroeg hij.

Ze knikte en stond op. Ze nam zijn hand en trok hem overeind.

'Sterk ben ik, hè?' zei ze met een glimlach.

Hand in hand stapten ze de bosjes uit, het pad op. Ze zwegen tot ze rechtsaf sloegen, een smal paadje in, dat iets verderop uitkwam bij een groot, vierkant, duister veld.

'Daar is het,' zei Neeltje.

'Er is nog niemand.'

'Jawel, ze zijn er. Allemaal. Maar ze wachten.'

'Waarop?'

'Dat verklap ik niet, dat is té mooi...'

Ze hurkten neer achter een struik. De aarde was stil onder hun voeten. De karpermannen waren ver weg of opgelost in het niets, er was geen wind, geen nachtvogel roerde zich. De stilte was volmaakt. Jakob voelde dat er iets te gebeuren stond wat hem zijn hele leven bij zou blijven. Het veld lag zwart onder de koude sterren. Neeltje hield nog steeds zijn hand vast. Hij zou niet meer zonder kunnen.

Hij zag het aan de schaduwen die rondom hem uit de grond leken te groeien. Schaduwen van takken, twijgen, bladeren, die steeds scherper afgetekend werden. Uit de hemel daalde nieuw licht neer op het veld en de struiken en bomen die eromheen stonden. Hij keek omhoog. Recht boven het veld stond de sikkel van de maan. Smal alsof een vlijmscherp mes de hemel had gekerfd. Uit de kerf viel een baan helder licht. De aarde gaf antwoord: uit het veld kringelde nevel op, dunne slierten die in het zilveren licht uitwaaierden tot ze op danseressen leken.

'De witte juffers,' zei Neeltje zacht.

'Hier ben ik gisteren geweest, op ditzelfde veld,' fluisterde Jakob, 'toen de karperman achter me aan zat.'

'Weet ik toch... Ik was erbij.'

'Weet je wat ik niet snap?'

'Nou?'

'Waarom jij je net, toen die commandant ons op de hielen zat, niet in een meesje hebt veranderd.'

'Ik kon je toch niet alleen laten!'

'Maar dan wist ik toch dat jij dat meesje was?'

'Ik kan me alleen thuis veranderen. Dan had ik dus eerst naar huis moeten rennen, me daar moeten veranderen – als ik al veilig thuis gekomen was – en dan weer terugvliegen... Dat had zeker een kwartier geduurd!'

'Woon je zó dichtbij?'

Neeltje knikte. De maan was halfvol nu. Zoals wel vaker in een heldere nacht was haar volledige omtrek al die tijd zichtbaar, als een vaag oplichtende ring, zodat het leek alsof de maan niet groeide, maar volliep.

'Nog even,' zei Neeltje.

Het licht spoelde alle angst van Jakob af. Dit was beschermend licht, besefte hij, en op hetzelfde moment voelde hij dat de maan warmte begon te geven. De witte juffers losten op.

'Nog héél even,' zei Neeltje.

Jakob keek als betoverd omhoog en zag hoe de maan volstroomde en volmaakt rond aan de hemel kwam te staan. Het veld lag verlaten in het hemelse licht, zó helder – het leek alsof het van alle kanten door spiegels werd weerkaatst.

Een luid gejubel steeg op. Takken kraakten, handen klapten, voeten roffelden vanuit het struikgewas de weide op...

En Jakob zag het Houtvolk.

Later probeerde hij soms te achterhalen hoe hij zich de kleine vrouwen en mannen had voorgesteld vóór hij ze te zien kreeg. Wandelende boompjes met knoestige hoofden en takken als armen en benen? Dansende bezems? Spielberg-wezentjes met enge dunne nekjes waarop schorsige hoofden wiebelden? Hij wist het niet en zou het nooit meer weten. Hij was dat alles op slag vergeten toen hij ze in werkelijkheid zag.

Hoewel – zag? Hij zág ze natuurlijk wel, maar tijd om ze rustig te bekijken kreeg hij niet. Ze waren klein, veel kleiner dan hij verwacht had, en flitsten over het veld heen en weer. Ze sleepten manden met brood en fruit en flessen uit de bosjes tevoorschijn, legden kleden op het gras langs de bosrand, buitelden over en langs elkaar als glanzende hoepels. Er was er niet één die stilstond. Hun lijfjes en hun gezichtjes bleven onzichtbaar in hun frivole gedoe. Het enige wat Jakob duidelijk kon zien was hun haar, de grote bossen haar die wuifden in het maanlicht. Als de schuimkoppen van aanrollende golven...

'Dit zijn de kinderen,' zei Neeltje.

'Ik dacht al...' zei Jakob.

Hij dacht niet verder.

De volwassenen betraden de open vlakte.

Ze kwamen van het pad waarlangs Jakob gisteren het veld ontvlucht was. Voorop liep een vrouw. Ze was een meter lang, niet meer, zag Jakob toen ze langs een bankje liep, maar haar kalme en zekere tred maakte dat ze groter leek. De kinderen bleven staan waar ze stonden en wendden hun hoofdjes naar de vrouw. Ze straalden. Alsof ze na een schoolkamp van een week hun moeder terugzagen.

'De Koningin,' zei Neeltje.

Dat had Jakob al begrepen.

De vrouw liep naar het midden van het veld, op een paar meter afstand gevolgd door de andere volwassenen. Ze droeg een lang groen gewaad met korte mouwen, dat haar blote voeten, haar armen en haar handen vrijliet. Een zilveren ceintuur hing om haar heupen. Ze was oud. Diepe rimpels stonden in haar bruine gezicht. Maar voor haar was de tijd een zorgvuldig kunstenaar geweest: de rimpels liepen rond, als jaarringen in een boom. Ze omcirkelden haar donkergroene ogen, haar neus, haar volle lippen. Ze was zó oud, haar haren waren sluik geworden en vielen als een zilveren sluier op haar schouders. Ze droeg geen kroon, geen lauwerkrans, niets van dat al. Ze schreed voorwaarts en keek daarbij, dat wist Jakob zeker, naar de plek waar hij en Neeltje zich schuilhielden. Betrapt wilde hij opstaan, maar Neeltje hield hem tegen.

'Wacht tot ze ons vraagt te komen!'

Jakob hurkte weer neer. De Koningin had het midden van het veld bereikt en wachtte op haar volgelingen. Vlak achter haar kwamen, in een halve cirkel, vrouwen staan die bijna net zo oud leken als zij en hetzelfde gekleed gingen. Zij misten alleen de zilveren ceintuur. De gewaden hingen los om hun lijf.

'De Raad van Zeventien,' fluisterde Neeltje.

'Allemaal vrouwen?' vroeg Jakob.

'Natuurlijk. Er zijn immers geen volwassen mannen.'

'Maar hoe...'

'Ssst...'

Achter de Raad van Zeventien schaarde zich een grote groep vrouwen. Sommigen waren nog jong, met fiere pluizenbollen, anderen ouder, met sluik haar; velen leken zwanger. Ze droegen takkenbossen op hun rug. Achter hén kwam een stoet van zeer jonge vrouwen en zeer jonge mannen. Ze vormden paartjes, liepen hand in hand, en toen zij op het open veld verschenen barstten de kinderen van het Houtvolk weer uit in gejuich en gejubel.

'Het is hún feest,' zei Neeltje.

'Die mensen achteraan? Gaan zij... met dat gevrij en zo?'

Neeltje knikte.

'En de anderen?'

'Die kijken toe.'

'O,' zei Jakob. 'En wij?'

Het antwoord kwam meteen. Maar niet van Neeltje. De Koningin stak haar hand op, het gejuich verstomde, de Koningin liet haar hand zakken, wees recht naar de plek waar Jakob en Neeltje zaten en sprak:

'Kom, kinderen.'

'Nu,' zei Neeltje.

Ze stond op en trok Jakob overeind.

'Laat m'n hand los!' siste Jakob. 'Anders denken ze nog dat wij straks ook...'

Neeltje giechelde. Maar ze liet zijn hand los. Ze stapte uit de struiken het veld op; Jakob iets achter haar. Voor de Koningin en haar Raad bleef ze staan en maakte een kleine buiging. Jakob deed haar na. De vrouwen bogen het hoofd.

'Welkom,' zei de Koningin.

Haar stem klonk warm en sierlijk, als een triller op de hoogste snaar van een cello. Zij richtte haar hoofd op en keek Jakob en Neeltje vriendelijk aan.

'Ik ben Neeltje,' zei Neeltje. 'En dit hier is Jakob. Hij is wat schuchter, hij is voor het eerst in uw midden.'

'Neeltje?' zei de Koningin nadenkend. '*De* Neeltje?'

'Ik denk het,' zei Neeltje.

'Ben jij het echt? Wat enig! Jouw avonturen worden nog altijd verteld. Ik vond ze prachtig als kind. 't Is lang geleden dat je hier was. In onze tijd dan... Toen had je ook al last van de soldaten.'

'Nou!' zei Neeltje. Het kwam uit de grond van haar hart. 'Maar toen hebben uw voorouders mij geholpen.'

'We waren deze keer maar nét op tijd, heb ik de indruk,' zei de Koningin.

Neeltje knikte. Jakob knikte mee. Hij aarzelde, hij wilde iets zeggen, iets vragen, maar alles kwam hem opeens weer zo onwezenlijk voor. Hij was enigszins gewend geraakt aan de snelle tijd, aan karpers die soldaten werden, aan meisjes die in meesjes veranderden en omgekeerd, maar nu hij niet meer écht hoefde te rennen voor zijn leven, leek alles weer een sprookje, een droom... Praten met de Koningin van een volk waarvan hij altijd dacht dat het alleen in verhalen bestond! Het was alsof hij met zijn zusje speelde, met haar poppen, en allerlei avonturen verzon. Dat kon hij nog steeds. Maar niet als er iemand mee zat te luisteren. Onwillekeurig keek Jakob om zich heen.

'Wij bestaan echt,' zei de Koningin.

Ze glimlachte. Jakob zag haar glimlach en was blij dat ze bestond. En hij begreep dat je in deze wereld maar beter kon zeggen wat je dacht, omdat iedereen het toch al wist.

'Daar ben ik blij om, mevrouw,' zei hij.

'Dank je,' zei de Koningin.

'En de karpermannen?' vroeg Jakob.

'Die bestaan ook echt.'

'En...'

'Je bent veilig. We hebben ze weggelokt, naar zee. Ze waren met z'n veertienen. Je hebt flink gebloed.'

'Ik dácht al dat ik wat hoorde,' zei Jakob, 'net in het bos, gegiechel of zo... Dus dat waren jullie!'

'Als de nood het hoogst is, gelooft de mens het meest,' glimlachte de Koningin.

'Lokt u ze altijd weer naar zee?' vroeg Neeltje. 'Lukt dat nog steeds?'

'Dat zal altijd lukken. Deze soldaten hebben geen geheugen. Ze zijn niet meer dan afgerichte moordmachines. Ze moeten doden wat kleiner is dan zij en dat doen ze, als ze de kans zien, met duivels plezier, maar ze hebben geen inlevingsvermogen – ze kunnen de daden van de tegenpartij niet voorspellen. Ze zullen altijd weer in dezelfde val gelokt worden.'

'Dank u,' zei Neeltje.

'Het is ons een waar genoegen.'

'Dank u,' zei Jakob, 'en sorry dat we het feest verstoren.'

'Niets en niemand kan ons feest verstoren,' zei de Koningin.

Ze hief haar hand. Heel even was het volkomen stil op het veld. Toen zei ze zacht: 'Ontsteek de vuren.'

Vezel

De kinderen sprongen op. Hun gedraaf en gejoel en gebuitel deden het hele veld golven van vreugde. De vrouwen lieten de takkenbossen van hun schouders glijden. Ze knielden neer, schikten het hout snel en behendig op de grond en joegen de brand erin. Jakob gluurde naar de jonge vrouwen en mannen die hand in hand stonden. Ze hadden alleen oog voor elkaar en straalden liefde en vastberadenheid uit. De een is straks zwanger, de ander dood, dacht Jakob. Het uitzinnige plezier rondom verbijsterde hem tot op de bodem van zijn ziel.

Hij ging naast Neeltje op een bankje zitten. Ze keken naar de reidansen die het Houtvolk begon en luisterden naar de liederen die gezongen werden. Het waren opzwepende melodieën. De woorden konden ze niet verstaan, omdat de kinderen met hun schelle stemmen boven alles en iedereen uit krijsten en van geen tekst wilden weten. Iedereen zong en danste, van de Koningin tot het kleinste kind. De baby's werden gedragen. Jakob keek naar de jonge mannen. Ze dansten wild en uitgelaten, alsof ze een zware taak hadden volbracht en een verrukkelijke toekomst tegemoet gingen; alsof een grote poort wijd opengezwaaid was en ze er maar doorheen hoefden te dansen om voor altijd gelukkig te zijn. Hij begreep er niets van.

Jakob had grandmère gezien toen ze dood was. Ze lag op bed, op de dekens, in haar mooiste jurk, met haar mooiste schoenen aan. Ze droeg haar gouden sieraden. Ze zag er angstaanjagend dood uit. Later, toen ze begraven was, kwam ze weer wat tot leven in verhalen, foto's en herinneringen. Ze was er wel, daar op dat bed, maar ze was er nog veel meer niet.

'Het lijkt wel of ze slaapt,' had zijn moeder gezegd. Maar dat was niet zo. Het was andersom. Het leek wel of ze dood was. Dat was het enge: ze was dood, maar dat drong niet tot je door, het léék alleen maar zo. Daar werd je bang van. Jakob had zich voorgenomen nooit meer naar een dood mens te kijken. Zelfs niet naar grootvader, als hij...

Niet aan denken! Ze waren veilig hier. En morgen zouden ze al terug zijn in hun eigen wereld. Tenminste, ze zouden niet meer hier zijn... Dat hadden ze in de put gezien. Jammer, dat die niets had laten zien over een wisselvrucht of een houten rode zwaan... Niet mopperen! Tot nu toe was het gegaan zoals Neeltje had voorspeld. Ze waren veilig. Maar straks, al die vrolijke dansers... Eerst vrijen ze de hele nacht, dan vallen de mannen neer en veranderen binnen een uur in vruchtbare aarde. Zo had Neeltje het gezegd en zo zou het gebeuren. Jakob wilde dat niet meemaken. Hij zou het liefst vluchten. De karpermannen waren uitgeschakeld, hij kon zo door het bos naar het dorp lopen. Maar zou hij daarmee ook deze tijd achter zich kunnen laten?

Dezelfde beklemming die hij aan het doodsbed van grandmère had gevoeld overviel hem nu weer: hij was écht op een feest van het Houtvolk terechtgekomen, dat wist hij zeker. De nieuwe maan was binnen een kwartier vol geworden, hij was aan de karpermannen ontsnapt, had de Koningin van het Houtvolk ontmoet, en op het veld werd gedanst en gezongen door kleine bruine mannen en vrouwen en nog kleinere kinderen.

Maar tegelijkertijd léék het alleen maar zo! Hij zat immers gewoon naast Neeltje op een bankje! Een bankje door mensenhanden gemaakt, naast een ijzeren vuilnisbak waarin een grijze plastic zak hing. Jakob tilde het deksel op en keek: lege pakjes appelsap, wikkels van snoepgoed – en erboven, doodstil, twee wespen.

Aan Jakobs voeten lag een kleed en daarop stond een mand waaruit brood en fruit en flessen staken. Die hadden de kinderen voor hem en Neeltje neergezet. Jakob bukte zich en trok een fles omhoog. Hij was hier nu eenmaal en kon hier maar beter blijven tot het tijd was om naar huis te gaan. Hij kon alleen afwachten. En misschien gebeurde er nog iets dat hem op het spoor zou zetten van de zwaan of de vrucht...

Hij trok de kurk uit de hals en rook een onbekende zoete geur.

'Durf jij hiervan te drinken?' vroeg hij aan Neeltje.

'Ik wel,' zei ze. 'En jij ook.'

Ze nam twee bekers uit de mand en hield ze op.

'Zit er alcohol in?' vroeg Jakob.

'Nee.'

Jakob schonk de bekers vol. Cider vond hij heerlijk, maar van andere alcoholische dranken walgde hij. Hij zette de fles terug, nam een beker over van Neeltje en hief die hoog.

'Op de goede afloop,' zei hij.

'Proost,' zei Neeltje.

Ze klonken en die korte tik... was het enige geluid dat op dat moment gehoord werd. De dans en het lied waren stilgevallen. Het Houtvolk stond bewegingloos op het veld, de Koningin in het midden. Niets bewoog, alleen de vlammen van de vele vuurtjes. Maar ook zij maakten geen geluid. De stilte leek eindeloos te duren, Jakob durfde geen slok te nemen. Toen begon de Koningin te zingen met die prachtige stem als een cello die, zo hoorde Jakob nu, ook de diepte in kon duiken, tot aan de laagste snaar.

Ze zong:

Geef je lichaam, geef je ziel.
Hij die in de aarde viel
nam het minste, gaf het meest.
Kus het hout en vier het feest.
Geef je ziel en geef je lijf.
Neem wat vliegt en geef wat blijft.

Tijdens het lied slopen de vrouwen en de kinderen naar de bosrand. Ze gingen rond de vuurtjes zitten en gluurden verlekkerd in de manden. Ook de Raad van Zeventien trok zich terug. Alleen de jonge mannen en vrouwen bleven bij de Koningin op het veld. Jakob nam een slok uit zijn beker, een warme gloed trok door zijn aderen. Hij telde de paartjes op het veld. Het waren er veertig. Een jongen van het Houtvolk kwam naast hem zitten op de bank. Jakob schrok toen hij zijn gezicht zag. Het was smal en bruin, echt het gezicht van een jongen van het Houtvolk, een volk dat Jakob nog geen halfuur geleden voor het eerst had gezien – en toch leek het alsof hij de jongen al jaren kende en ze al die tijd hartsvrienden waren geweest. De tijd hier speelde spelletjes met alles. Jakob nam een beker uit de mand, schonk hem vol en gaf hem aan de jongen. Hij kreeg een brede grijns als dank. Ze zwegen tot het lied uit was en langer, want na het lied van de Koningin begonnen de jonge vrouwen te zingen:

Jongetje is een man,
jongetje is een man.
Meisje uit de bossen,
meisje,
meisje is een vrouw.
Jij bent mijn lief,
mijn jongen,
ik ben jouw meisje lief.
We gooien de baby op
en vangen hem overmorgen weer.

De Koningin schreed over het veld naar het vuur dat blijkbaar speciaal voor haar en de Raad was ontstoken. Ze ging zitten en luisterde met de anderen naar het antwoord van de jonge mannen:

Meisje is een vrouw,
meisje is een vrouw.
Jongetje uit de bossen,
jongetje,
jongetje is een man.
Jij bent mijn lief,
mijn meisje,
ik ben jouw jongen lief.
We gooien de baby op
en vangen hem overmorgen weer.

De vrouwen en mannen op het veld grepen elkanders handen vast en begonnen te dansen, langzaam, heel langzaam, waarbij ze hun lied keer op keer zongen, samen nu, en zonder woorden. De kinderen en vrouwen aan de bosrand keken toe en zongen mee. Met volle mond, de manden werden flink geplunderd.

De jongen naast Jakob keek met schitterende ogen naar het trage schouwspel. Hij dronk en at en neuriede de melodie.

'En nu?' vroeg Jakob aan Neeltje.

'Nu nemen wij ook een lekker hapje.'

'Nee, ik bedoel dáár.' Jakob wees naar de dansenden. 'Is dit het nou?'

'Het wordt nog veel mooier,' zei Neeltje.

'Nou!' zei de jongen naast Jakob en hij lachte.

Jakob stak hem zijn hand toe.

'Ik heet Jakob,' zei hij.

'Ik heet Vezel,' zei de jongen. 'Nou ja, zo heten we bijna allemaal. We *zijn* meer Vezels dan dat we zo heten. Wij doen niet echt aan namen.'

'Wij wel,' zei Neeltje. 'Ik heet Neeltje.'

Ze aten van het brood en het fruit, ze dronken hun bekers leeg en schonken ze weer vol.

'Wat zijn ze langzaam!' zei Jakob.

'Wat dacht je!' zei Vezel. 'Voor de mannen is het de eerste én de laatste keer... Die nemen er de tijd voor.'

'Hebben ze nooit eerder... eh... gevreeën?'

'Nee. Dit is hun grote dag. Onze vrouwen willen alleen vrijen met nieuwe maan.'

'En de mannen?'

'Ha!' riep Vezel. 'Ik heb er nu al zin in!' Hij schaterde en bedaarde toen. 'Nee hoor,' zei hij, 'ik moet nog wat wachten. Ik ben nog niet volgroeid.'

'Maar als je volgroeid bent...'

'Dan is de eerstkomende nieuwe maan mijn feest. Dan wast speciaal voor mij de maan tot de rondheid van haar volle licht...'

'En dan...' zei Jakob, 'ga je dood.'

'Welnee!' riep Vezel verschrikt. 'Dacht je dat?'

'Als wij mensen gaan liggen en vruchtbare aarde worden, zijn we in het algemeen dood,' zei Jakob.

'Maar wij zijn geen mensen!' riep Vezel.

'Nee, maar jullie lijken behoorlijk op ons. We kunnen samen praten, we kunnen samen lachen en eten en drinken.'

'Wij lijken alleen op jullie,' zei Vezel, 'vóór we volwassen zijn, vóór we onze wortels hebben.'

'Ik snap het niet,' zei Jakob.

'Wij zijn toch bomen!' zei Vezel.

Jakob keek de jongen naast hem verbaasd aan. Goed, hij had een bruin gezicht en op zijn huid leek hier en daar groen poeder aangebracht, maar zijn ogen glommen als mensenogen en zijn mond sprong als bij een mens alle kanten op als hij lachte en praatte en at en dronk. Zijn gezicht was zelfs een stuk menselijker dan dat van de meeste mensen, vond Jakob. En dan dat rare gevoel dat ze al jaren bevriend waren...

'Begrijp je het nu?' vroeg Vezel.

'Nee,' zei Jakob. 'Ik begrijp er steeds minder van.'

'Wij zijn bomen! Alleen in onze jeugd zijn we nog niet geworteld. We moeten groeien tot onze ziel rijp is. Dan pas mogen we boom worden.'

Het begon Jakob te dagen.

'Dus eigenlijk,' zei hij, 'zijn jullie een soort larven.'

'Dank je hartelijk voor het compliment,' zei Vezel zuur. 'Wij vergelijken het liever met een rups die vlinder wordt.'

'Sorry,' zei Jakob, 'ik probeerde het te begrijpen.'

'Nou ja,' zei Vezel, 'dat is in ieder geval gelukt.' Hij lachte alweer. 'Wij zijn een vezel van de boom die wij worden.'

'Mooie naam heb je dan,' zei Jakob.

'Dank je.'

'En de vrouwen?' vroeg Jakob. 'Er zijn toch ook vrouwelijke bomen?'

'De vrouwen wortelen later. Zij zijn belangrijk in hun ongewortelde vorm. Wij hebben de kracht, zij de wijsheid, zij geven leiding aan de ongewortelden.'

'Zie je nu wel dat het allemaal meevalt?' vroeg Neeltje.

'Ja,' zei Jakob, 'maar ik zou toch niet graag een boom worden. Ik bedoel, nu kun je nog rennen en spelen en lachen...'

'Ik heb begrepen dat mensenkinderen graag volwassen worden,' zei Vezel met een plagerig lachje. 'Als volwassen mens kun je ook niet meer rennen en spelen en lachen. En als je pijn hebt mag je niet huilen, je mag niet met een knuffel slapen... En je moet de hele dag dingen doen waar je geen zin in hebt! Volgens mij kun je beter een boom zijn.'

'Welnee!' zei Jakob. 'Dat lijkt misschien zo aan de buitenkant. Je kent ons minder goed dan je denkt. Mijn grootvader rende toen hij al oud was nog altijd als een jongen rond zijn huis als we verstoppertje speelden, en nu heeft hij pijn en hij schreeuwt en hij huilt, maar als hij weer beter is gaat hij alles doen waar hij zin in heeft... Als je volwassen bent kun je juist een heleboel dingen doen die je als kind niet mág en als boom niet kúnt...'

'Vergis je niet in het leven van een boom,' grijnsde Vezel. 'We kunnen meer dan jij denkt: horen, zien, denken, eten, drinken, dansen in de storm, en nog veel meer waar jullie mensen niks vanaf weten. Wat dacht je van vrijen op de wind?'

'Jakob zal nooit worden als de volwassen mensen waar jij het over hebt,' zei Neeltje. 'Hij zal meer op een boom lijken dan op een volwassen mens. Hij zal wuiven in de wind, liedjes zingen in de storm, dansen op één been. En hij zal zich daarbij goed voelen, daarop vertrouw ik ten volle.'

Wat práát ze toch ouwelijk, dacht Jakob. Ze is nog een meisje, maar ze praat als een nieuwslezeres.

'Zo zal het zijn,' zei Neeltje. 'Want hij heeft jullie gezien.'

Jakob hield er niet van als mensen over hem spraken alsof hij er niet bij was. Bovendien wist hij nog steeds niet of hij wel zo blij moest zijn met de toekomst die Neeltje hem schetste. Hij besloot tot een afleidingsmanoeuvre, gebaarde met zijn hoofd naar het veld en zei: 'Er begint schot in te komen.'

'Nieuwe maan, hè,' zei Vezel, als een man van de wereld.

Ze lachten en keken toe. Alle traagheid was uit de dans van de jonge vrouwen en mannen verdwenen. Was het nog wel een dans? Het leek meer op Boer en de Kwajongens, een spel dat Jakob op de basisschool bij gym wel eens moest spelen. Er werd gerend en gedraafd en gegild van plezier. De mannen renden weg voor de vrouwen, maar lieten zich maar al te graag weer pakken, en dan werd er gekust en gestreeld, en dan vluchtten de vrouwen en, hup!, de mannen erachteraan, en dan volgde een omhelzing zoals je die op tv maar zelden zag en vlogen er kleren in het rond.

Het ging er zo heftig aan toe, het was zo spannend om naar te kijken, dat Jakob vergat te blozen. Hij gluurde opzij, eerst naar Neeltje, daarna naar Vezel. Zij zaten de kleine mannen en vrouwen aan te moedigen alsof ze naar een schaatswedstrijd keken. Het ontbrak er nog maar aan dat ze maffe petjes op hun kop en sjaaltjes om hun nek hadden. Ook de andere kinderen van het Houtvolk joelden als bezetenen, en de oudere vrouwen klapten ritmisch in hun handen. Iedereen had de grootste lol.

Het was ook wat je noemt een boeiend schouwspel. Het echte vrijen was begonnen. Soms was een paartje vlakbij, en rolde vlak voor de bank langs over het gras, en Jakob zag dat de minnenden licht uitstraalden. Ze weerkaatsten niet het licht van de maan, nee, het kwam uit henzelf. Hun lijven waren niet langer bruin, maar roze als het gehemelte van een poes, en uit die roze huid straalde licht. Het mooiste licht kwam uit hun hoofden. Alsof vrijen net zo in je hoofd zat als in je... Nou ja... Maar het was écht vrijen. Dat zag hij duidelijk. Aan alles. Soms was het licht zó helder, dat het leek of de volle maan in de vrijers was neergedaald en door hun voorhoofd naar buiten scheen.

Er heerste zó'n gigantische vrolijkheid op en rond de feestwei, dat Jakob niet stil kon blijven zitten. Ook hij begon te schreeuwen en in zijn handen te klappen om de vrijenden tot nog spectaculairder daden aan te zetten. Dat lukte. Er werd nu overal en op de meest krankzinnige manieren gevreeën. Ze hingen samen aan takken, rolden samen rond de vuurtjes, en buitelden zelfs samen *over* het vuur, wat voor

Houtvolk toch vrij gevaarlijk leek. Soms lagen ze even uit te puffen, maar dat duurde nooit lang. Na vijf minuten sprongen ze weer op om verder te gaan, begon het spel van voren af aan, en werden vrouw en man weer één rollebollend dampend wezen. Jakob zag dat er wel honderd verschillende manieren waren om te vrijen. Hij keek ervan op. Hij kreeg bijna zin om... Nee, nee! Hij was dolblij dat hij niet hoefde.

'Wiehoe!' schreeuwde Vezel. Hij stootte Jakob aan en juichte: 'Over negen manen ben ik aan de beurt!'

'Wauw!' zei Jakob.

Ze aten en dronken, klapten in hun handen, juichten en lachten. Het was ronduit 'koddig' – een woord dat grootvader wel eens gebruikte. Maar toen de manden en flessen leegraakten en de vuurtjes minder hoog brandden, veranderde het schouwspel. Jakob zag dat de mannen uitgeput neervielen. Niet om nieuwe krachten op te doen, maar voorgoed. Ze stonden niet meer op. Hun vrouwen knielden naast hen neer en streelden hun verhitte hoofden. De gloed in de lichamen doofde. Roze werd weer bruin. De vrouwen verzamelden kleren en kleden. Het Houtvolk langs de bosrand keek zwijgend toe. De vlammen van de vuurtjes kapseisden en trokken zich terug in de as. De maan begon te krimpen. Dat zag je niet, dat voelde je. De Koningin stond op en schreed naar het midden van het veld. Daar zong zij opnieuw haar lied:

Geef je lichaam, geef je ziel.
Hij die in de aarde viel
nam het minste, gaf het meest.
Kus het hout en vier het feest.
Geef je ziel en geef je lijf.
Neem wat vliegt en geef wat blijft.

Vezel stond op en begon wat restte van de maaltijd terug te stoppen in de mand. Jakob hielp hem, blij dat hij iets kon doen. Hij voelde zich somber worden.

'En nu?' vroeg hij.

'Nu komt het mooiste,' zei Vezel. 'Nu brengen de vrouwen hun mannen naar de plek in het bos die ze tevoren samen hebben uitgekozen. Daar mag niemand bij zijn.'

Goddank, dacht Jakob.

'Iedere vrouw blijft bij haar man,' zei Vezel, 'de hele nacht. Zij legt de vrucht in zijn mond en wacht tot hij één wordt met de aarde. Dan trekt zijn ziel in de vrucht, en gaat wonen in de boom die hij wordt.'

Jakob begreep nog steeds niet wat daar mooi aan was. Hij probeerde zich voor te stellen hoe dat verschrompelen van het lichaam in zijn werk ging. Het lukte niet. In plaats daarvan zag hij grandmère op haar sterfbed. En daarna grootvader op het zijne...

Niet aan denken! dacht hij weer. Maar dat hielp deze keer niet. Er was op het veld niets dat hem kon opvrolijken of afleiden van de beelden die zijn hoofd bestormden. Het gevrij was koddig geweest, maar de aftocht die nu plaatsvond, het afscheid straks...

De kinderen en vrouwen verzamelden zich bij de plek waar Neeltje en Jakob zich aan het begin van het feest schuilhielden, de vuren waren uit en de maan stond in het laatste kwartier. De jonge vrouwen ontstaken fakkels en droegen, hooguit één uur zwanger, hun gevallen minnaars trots het bos in. Ze zongen.

'Prachtig, hè?' zei Vezel.

Maar Jakob vond niks meer prachtig. Hij kon aan niemand anders denken dan aan grootvader. Hij zag het zweet langs het oude gezicht druipen, hij zag de verwilderde ogen, hij hoorde de stem gillen als een kind in een kwaadaardige droom: 'Donder jij nu ook maar op...!'

Dat schreeuwde hij naar zijn rode zwaan, volgens de oude dame, naar zijn *vliegende* rode zwaan van hout... 'Kijk niet zo naar me en lach niet!' Dat schreeuwde hij naar de oude dame, toen ze een meisje was. Misschien lag hij het op dit moment, in die andere, trage wereld ver weg, nog steeds te schreeuwen. Wat zag hij toch allemaal gebeuren in zijn koorts? De oude dame had het niet willen vertellen. Het was allemaal haar schuld, had ze gezegd – meer niet...

Waarom dúúrde alles hier zo lang? Dat gesodemieter op het veld, en nu dat getreuzel! Waarom konden ze niet nú terug? Hij besloot het de Koningin te vragen. Zij zou toch wel iets begrijpen van deze dingen? Zij moest toch weten waar de *uitgang* was...! Neeltje had alleen maar vermoedens dat ze morgen weer thuis zouden zijn, misschien kon de Koningin die bevestigen. De gedachte dat grootvader overgeleverd was aan een verpleegster die nergens iets van wilde snappen kon hij opeens niet meer verdragen. De pillen van de dokter hadden niks geholpen, moeder zat met haar auto gevangen in een stroperige tijd, misschien zelfs in een *file* in een stroperige tijd, en de enige die iets leek te begrijpen, de oude vrouw die vroeger grootvaders buurmeisje was, deed een dutje!

Jakob liet Neeltje en Vezel achter bij het bankje en liep naar de Koningin die nog op de weide stond. Ze werd omgeven door vele kleine lieden, maar Jakob liet zich door niets en niemand weerhouden.

'Mevrouw!' riep hij.

Ze keek op, zag hem komen, kneep haar ogen bemoedigend dicht, en zei tegen haar volk: 'We gaan.'

De kinderen en vrouwen verlieten het veld. Ze liepen het smalle pad op, het bos in. Er werd niet meer gejoeld, geklapt, gedanst, de opwinding was verdwenen. Ze liepen rustig en babbelden wat. De kleine kinderen werden gedragen. De Koningin wachtte tot iedereen in het bos verdwenen was en alleen zij en Jakob en Neeltje en Vezel op het veld achterbleven.

'Kom,' zei ze, 'nu gaan wij ook.'

Op dat moment stroomde het laatste licht weg uit de maan en wolken schoven voor de sterren. De wereld werd inktzwart. Jakob voelde dat iemand zijn hand pakte en de stem van de Koningin klonk vlak naast hem toen ze zei:

'Vezel, loop jij een stukje voor ons uit? Jij hebt de ogen van een uil... Neeltje, waar is jouw hand? Ah... daar.'

Loop ik hier hand in hand met een Koningin! dacht Jakob. Denk je dat je alles gehad hebt! Ik hoop niet dat ik volgende week op school een verhaal over 'Mijn Vakantie' moet schrijven...

De hand van de Koningin was kleiner dan die van Neeltje, en ook steviger. Echt hout. Maar het konden natuurlijk ook de oude botten zijn. De hand was prettig droog en warm.

'Zo,' zei de Koningin, 'en nu wij, Jakob. Jij maakt je zorgen, begrijp ik?'

'Ik wil naar huis,' zei Jakob. 'Of nee... Niet naar míjn huis, naar dat van mijn grootvader... En niet alleen naar dat huis, ik bedoel... eh...'

'Je wilt hier wég,' zei de Koningin.

'Ja,' zei Jakob, en hij schaamde zich voor de diepe zucht die aan zijn mond ontsnapte.

'Dat kan,' zei de Koningin.

'Nu?'

'Als je dat graag wilt.'

Jakobs hart maakte een radslag van pure vreugde.

'Ik wil niet onbeleefd zijn,' zei hij snel, 'u heeft ons fantastisch geholpen.'

'Beleefdheid is voor rustige tijden,' zei de Koningin. 'De vraag is: wil je écht nu al weg?'

'Echt,' zei Jakob. 'Ik weet het zeker. Mijn grootvader is ziek. Hij heeft wondkoorts. Hij ijlt. Ik wilde maar heel even het bos in, maar ik ben hier nu al twee dagen.'

'Wat kun je voor hem doen als je terug bent?'

'Bij hem zijn. Hij kent mij.'

'Kun je hem beter maken?'

'Dat niet.'

'Echt niet? Waarom ben je hier gekomen?'

'Hier? Bij u?'

'Ja.'

'Per ongeluk. Ik viel op de brug.'

'Hoe kon dat gebeuren?'

Jakob zweeg. Hij zag de versteende wisselvrucht met de nog vers lijkende afdruk van de tanden. Hij zag zichzelf op de leuning van de brug klimmen, hij zag de twee kleine kinderen met hun ouders, hij zag zich vallen. De Koningin wist alles en begreep alles. Dat idee had hij bij hun ontmoeting al.

'Je bent hier gekomen,' zei de Koningin, 'om iets te vinden waarmee je je grootvader kunt genezen. Je moet niet weggaan vóór je dat gevonden hebt. Anders was alles voor niets.'

'Bestáán er wisselvruchten?' vroeg Jakob.

'Niet meer,' zei de Koningin. 'En jouw grootvader gaat ook nog lang niet dood. Hij moet alleen genezen van zijn koorts.'

Jakobs adem lag stil in zijn mond. Hij knikte bedachtzaam.

'Ik moet de zwaan vinden,' zei hij. 'De rode zwaan.'

'Het gaat om de zwaan,' zei de Koningin.

'Maar waar is die dan?' vroeg Jakob.

'Het is niet goed om de toekomst heel precies te kennen,' zei de Koningin.

'Gaat grootvader echt niet dood?'

'Nee. En meer mag ik niet zeggen... Jongen, als je eens wist hoe heerlijk ik het vind dat jij hier naast me loopt. Dat overkomt niet iedere Koningin, weet je. Onze tijden schuiven zo snel langs elkaar, soms gaan er bij ons eeuwen voorbij voor er weer een mensenkind op bezoek komt.'

'Maar...'

'Degeen die je nodig hebt slaapt. Zijn rook kringelt niet. Ga af op de rook.'

'Maar wat gaan we nú dan doen?'

'Ook slapen. Je bent welkom bij ons. Maar...'

Jakob schrok. Hij liep zeker al een kwartier hand in hand met de Koningin van het Houtvolk, door de zwartste duisternis die hij ooit om zich heen had gezien, en hij had geen moment angst gevoeld, maar hij schrok geweldig toen vanuit het aardedonker zijn vrije hand ook opeens werd vastgepakt.

Het was Vezel.

'... ik heb nog helemaal niet met Neeltje gesproken!' zei de Koningin opgewekt. 'Onze heldin! Ik ben zeer vereerd dat ik de hand vast mag houden van iemand die ik alleen uit onze oude verhalen ken. Ik vond ze prachtig, als kind, maar ik dacht ook vaak: Dit is er later bij verzonnen. Zo gaat dat immers met verhalen. Is het bijvoorbeeld waar, dat jij...'

'Kom,' zei Vezel. 'Ik wil met je praten. Wat de Koningin zei is waar, wij zien bijna nooit mensen. Ja, we zien ze wel, maar ze zien ons nooit. Dus praten kan niet. Jullie zijn de eersten die ik ontmoet. Kom op!'

Hij begon te rennen en trok Jakob met zich mee. Jakob liet de hand van de Koningin los.

'Moet je de Koningin de weg niet wijzen?' vroeg Jakob.

'Zij ziet net zo goed als ik. Toen ze vroeg of ik voorop wilde lopen, bedoelde ze dat ik erbij mocht blijven.'

Ze vertraagden hun pas en Jakob probeerde voorzichtig of hij zijn hand los kon trekken uit die van Vezel. Hij had nu al hand in hand met Neeltje gelopen, en met de Koningin, en gearmd met de oude dame... Om nu ook nog eens hand in hand te gaan met een jongen van zijn eigen leeftijd – er waren grenzen. Maar de hand van Vezel sloot zich juist extra stevig om de zijne.

'Vreemde wezens zijn jullie,' zei hij. 'Altijd bang voor elkaar. Ik zie het vaak in het bos. Zit er iemand lekker in de zon op een bankje, komt er iemand anders langs die ook wil zitten, neemt die een bankje een stuk verderop. En als er maar één bankje is, gaan ze alle twee met één bil op de punt zitten, zo ver mogelijk bij elkaar vandaan. En ze zeggen niks!'

Het is waar, bedacht Jakob. In de tram zoek ik zelf ook altijd een bankje waar nog niemand zit.

'Het is toch veel leuker om lekker tegen elkaar aan te schurken?' zei Vezel. 'En als je iemand aardig vindt is het toch fijn om hand in hand te lopen? Of niet soms?'

De hand van Vezel glipte weg uit Jakobs hand. Jakob stond meteen stijf stil. Hij zag absoluut niets meer! Ver voor zich hoorde hij het geroezemoes van het Houtvolk, iets achter zich de zachte stemmen van Neeltje en de Koningin, en af en toe, links, rechts, voor, achter, het hoge gegiechel van Vezel. Die draaide blijkbaar rondjes om hem heen. Jakob bracht zijn vingers vlak voor zijn gezicht. Hij zag letterlijk geen hand voor ogen. Hij hief zijn armen in een hulpeloos gebaar.

'Kom maar op,' zei hij. 'Jij wint.'

De kleine ferme hand van Vezel gleed weer in die van Jakob en voort ging het, door de grafstille, grafzwarte nacht. Jakob had er geen idee van in welke richting ze liepen.

'Waarom ruisen de bomen niet?' vroeg hij. 'Die horen toch ook bij het Houtvolk?'

'De bomen wel,' zei Vezel. 'Maar de wind niet.'

Stom van me, dacht Jakob. Of niet?

'Hoe kunnen ze dan ruisen in mijn wereld?'

'Grapje,' zei Vezel. 'Je hebt gelijk. Als we boom worden treden we jullie wereld binnen, jullie tijd. Net als het hele Houtvolk vóór de komst van de Romeinen. En onze bomen mogen gezien worden, toch?'

'Hoe komt het dat jij zoveel van de mensen weet?'

'Kijken, luisteren.'

'Maar ze zijn zo traag! Je ziet ze niet bewegen, en je hoort niets.'

'O jawel, daar kun je in oefenen. Met geduld. Wij zijn gewend aan geduld.'

'Maar Neeltje zegt dat jullie je alleen maar 's nachts laten zien.'

'Laten zien, daar zeg je wat. In deze vorm laten we ons sinds de Romeinse tijd alleen 's nachts zien, en dan nog alleen aan hen die goede ogen hebben. Maar overdag... Neeltje kwam bij jou als meesje.'

'Kunnen jullie dat ook?'

'Alles.'

'Kan ik het ook leren?'

'Als je wat langer blijft.'

'Dat kan niet...'

'Om je grootvader?'

'Ja.'

En Jakob begon te vertellen. Over het huis, het verhaal van de wisselvrucht, grootvaders val, de ijldromen, de rode zwaan, de oude dame, en daarna ook nog over zijn eigen val op de brug en over de karpermannen... Hij vertelde alles tot in de kleinste details, het verhaal leek uren te duren. Zo lang achtereen was Jakob zijn hele leven nog niet aan het woord geweest! Het kwam door de duisternis, niemand kon hem zien, dat praatte makkelijker. Hoewel... Vezel kon hem wél zien. Nou ja, zolang Jakob niet kon zíen dat Vezel hem kon zien, maakte het allemaal niks uit. En Vezels hand in zijn hand hielp ook. Iemand die je hand vasthoudt luistert naar je, dat kan niet missen. Die is dichtbij, zowel in gedachten als daarbuiten.

'Maar,' besloot hij zijn verhaal, 'morgen ben ik weg uit deze wereld, dan ben ik weer bij grootvader, we hebben het in de put gezien, Neeltje en ik. En heel misschien heb ik dan de rode zwaan gevonden. Het gaat om de zwaan, heeft jouw Koningin gezegd. En ze heeft me ook beloofd dat grootvader nog niet doodgaat.'

'De dood is heel groot voor jullie, hè?' zei Vezel.

'Hoe bedoel je?'

'Het lijkt wel het belangrijkste van jullie leven. Iedereen is bang om dood te gaan en bang dat zijn kinderen doodgaan, of zijn ouders, of zijn vrienden, of zijn grootouders... Jullie zijn je hele leven bang. En dat noem je dan dóódsbang.'

'Ja maar,' zei Jakob. 'Het is toch ook het ergste wat er is... Stel je voor dat grootvader doodging...'

'Ja,' zei Vezel, 'stel je dat nu eens voor. Hoe zou je dat vinden?'

'Afschuwelijk natuurlijk.'

'Je wordt al verdrietig als je eraan denkt?'

'Ja.'

'Nou, dat is niet nodig, want hij gaat nog niet dood!'

Vezel gierde het uit. Hij boog zeker dubbel van plezier, want Jakobs hand werd naar beneden getrokken. Jakob begreep absoluut niet wat er te lachen viel.

'Weer een minuut van je leven bedorven door sombere gedachten!' schaterde Vezel. 'Het lijkt wel of jullie mensen alleen maar in je hoofd wonen, met de luiken dicht. Jullie zien niet wat er gebeurt, jullie zien alleen maar "wat er zou kunnen gebeuren, als..." Volgens mij is "als" het meestgebruikte woord bij mensen. Nee, dan hebben wij het een stuk beter voor elkaar...'

'Vertel eens,' zei Jakob, en probeerde zijn stem zo kil en cynisch mogelijk te laten klinken, 'misschien valt er voor mij dan ook nog wat te lachen.'

'Bij ons,' hikte Vezel nog wat na, 'is "nu" het meestgebruikte woord.

Wij...' Zijn stem stokte. Heel even was het stil, toen voelde Jakob hoe Vezel zijn hand steviger vastgreep.

'Jakob?' zei hij.

Jakob reageerde niet.

'Jakob, heb ik je beledigd?'

'Ik amuseer me niet echt,' zei Jakob kort.

'Wat zeggen jullie ook alweer als jullie ergens van schrikken; als jullie iets heel erg vinden?' vroeg Vezel.

'Shit,' zei Jakob.

'Shit,' zei Vezel, 'het spijt me, Jakob.' Hij kneep nu nóg harder in Jakobs hand. Het deed bijna pijn.

Jakob begon terug te knijpen. Langzaam voerde hij de druk op Vezels vingers op. De pijn verdween. Hij kneep door. Vezel leek er niet op in te gaan. Tot hij opeens uit alle macht toesloeg.

'Au! Shit!' riep Jakob. 'Dat is niet eerlijk!'

'Waarom niet?' giechelde Vezel en ontspande zijn vingers.

'Jij bent van harder materiaal,' zei Jakob, en toen lachte hij ook. Daar kon hij niets aan doen.

'Kijk!' zei Vezel.

Jakob knipperde met zijn ogen. 'Welke kant op?'

Hij was het kijken ontwend tijdens de wandeling, hij had zelfs hele stukken met zijn ogen dicht gelopen.

'Recht voor je.'

Jakob keek en zag in de verte een lichtje.

'Daar wonen wij,' zei Vezel.

Jakob kneep zijn ogen halfdicht en zag door zijn wimpers heen dat het licht afkomstig was van een open vuur. Rondom de vlammen zag hij de silhouetten van lage heuvels. Het was heerlijk om weer iets te zien. Het bos lag achter hen.

'Ik ben blij dat je grootvader beter wordt, Jakob,' zei Vezel, 'dat meen ik.'

Hij liet Jakobs hand los en liep naar een boom die aan de rand van de vlakte stond. Hij legde zijn voorhoofd tegen de stam en sprak zacht. Jakob keek van een afstandje toe. Hij kon niet verstaan wat Vezel zei en vermoedde dat dat ook de bedoeling was. Vezel draaide zich om, maar hield zijn arm om de stam van de boom geslagen.

'Dit is mijn vader,' zei hij.

Jakob deed een paar stappen voorwaarts en bekeek de boom. Die was oud en groot, maar in de duisternis kon Jakob niet zien wat voor boom het was. Hij zocht naar een... Hij schoot in de lach.

'Wat is er?' vroeg Vezel.

'Stom!' zei Jakob. 'Ik wou je vader een hand geven, en ik zocht naar een tak waar ik bij kon.'

Vezel begon breed te grijnzen.

'Je begint het te leren,' zei hij. 'Leg je voorhoofd maar tegen de stam, zoals ik deed. Dat zal vader fijn vinden.'

Jakob deed wat Vezel hem gezegd had. Hij legde zijn voorhoofd tegen de stam.

'Kan jouw vader praten?' vroeg hij.

'Nou en of.'

'En kun jij hem verstaan?'

'Natuurlijk.'

'Ik hoor niks.'

'Dat kun je leren, als je wat langer blijft.'

'Helaas...' zei Jakob. Hij legde zijn voorhoofd bij wijze van afscheid nog even tegen de stam en daarna liepen ze verder.

Ze kwamen bij het vuur. Een paar oudere vrouwen scharrelden wat rond tussen de heuvels, ze legden een stapel kleine dekens en kussens op het zand. De kinderen waren al verdwenen.

'Jullie slapen buiten,' zei de Koningin, die samen met Neeltje de lichtkring binnenstapte. 'Ons onderkomen is te klein voor jullie mensen, maar het vuur is voor jullie.'

'Dank u,' zei Neeltje.

'Jullie aanwezigheid heeft ons feest extra glans gegeven,' zei de Koningin.

'Dank u,' zei Jakob.

'Ik weet zeker,' zei de Koningin, 'dat er nog lang over jullie bezoek gesproken zal worden. Over hoe het meisje Neeltje eeuwen na haar eerste bezoeken naar ons terugkeerde en een vriend meebracht voor Vezel...'

Ze boog haar hoofd. Jakob en Neeltje bogen terug, en toen ze weer opkeken waren de Koningin en de andere vrouwen in de heuvels verdwenen. Ze stonden met z'n drieën rond het vuur, Jakob, Neeltje en Vezel, en staarden in de vlammen.

'Zie ik je morgen nog, Vezel?' vroeg Jakob.

'Ga je weer!' zei Vezel. 'Morgen, afscheid, dood... Ik ben er nú toch! Je zult dit moment nog bederven door je sombere gedachten aan naderend afscheid.'

'Het spijt me,' zei Jakob.

'Voor jezelf,' zei Vezel. 'Je bederft je eigen plezier, niet het mijne... Ik sta hier alleen maar heel, heel erg gelukkig te zijn dat ik je heb ontmoet.'

De tranen sprongen Jakob in zijn ogen. Wat moest hij hier nu weer mee? Het was alsof Vezels sterke hand zich om zijn hart had gesloten en dóórkneep. Hij kon er toch niks aan doen dat hij mens was en moest huilen als iets zomaar ophield?

'Vezel,' fluisterde hij. 'Als alles weer goed is met grootvader, en ik kom terug... Ben jij hier dan nog?'

'Hoe wil je terugkomen?'

'Dat weet ik niet,' zei Jakob.

'Dat weet niemand,' zei Vezel. 'Maar ik kan wel naar jou toe komen. Het duurt voor jou, als je weer thuis bent, niet lang voor ik geworteld ben. Dan sta ik te ruisen in de wind van jouw wereld. Misschien herken je me.'

'O, zeker weten!' riep Jakob. 'Weet je al wat je wilt worden? Weet je al waar je gaat staan...?'

Heel even was hij opgetogen dat hij Vezel terug zou zien, maar uiteindelijk was hij toch meer mens dan goed voor hem was, en de gedachte dat Vezel een *boom* zou zijn...

'Ik zorg dat je me kunt vinden,' zei Vezel.

Hij glimlachte. Zo kan een boom nooit glimlachen, dacht Jakob. Hij kneep zijn ogen stijf dicht, voelde de tranen langs zijn neus glijden, en sloeg zijn handen voor zijn ogen. Hij voelde een stevige kleine hand op zijn haar. Heel even maar. Zijn lijf begon te schokken. Toen hij weer keek was Vezel verdwenen.

'Kom,' zei Neeltje.

Zij had het zich gemakkelijk gemaakt onder een berg dekens.

'Kan ik hier echt niet terugkomen?' vroeg Jakob.

'Jawel,' zei Neeltje.

'Hoe dan?'

'Wat Vezel al zei: dat weet niemand. Dat maak je niet zelf uit, dat overkomt je.'

'Jou ook?'

'Mij ook. En ik heb wel een vermoeden van het waarom, maar niet van het hoe. Graag willen helpt.'

Ze stak haar hand uit. 'Kom.'

Jakob liet zich onder de dekens trekken. Neeltje sloeg een arm om hem heen en kroop dicht tegen hem aan. Hij dacht na. Niet om antwoorden te vinden – nee, het was allemaal zo verwarrend en ingewikkeld dat hij al blij zou zijn als hij een paar goede vragen kon bedenken. Dan kon hij anderen wel om antwoord vragen.

Neeltje sliep al. Jakob voelde haar adem langs zijn slapen strijken. Hij dacht na tot hij bijna sliep. Toen schrok hij op.

Hij hoorde gegiechel. Voorzichtig, om Neeltje niet te wekken, ging hij rechtop zitten. Aan de hemel in het oosten gloorde al dun licht. Jakob zag een bizarre optocht. Veertien vrouwen van het Houtvolk trokken aan hem voorbij. In hun armen droegen zij ieder een spartelende karper.

De zwaan

'Ik moet je iets laten zien,' zei Vezel.

Ze liepen door een woestijn, en overal rondom woedden wervel-stormen. Wolken die anders als statige schepen door de lucht gingen, sliertten nu in het rond en zogen planken, deuren, hele daken, en zelfs dieren mee in hun razernij. De wolken joegen elkaar na als kinderen in een te kleine kamer, kinderen met ruime rokken aan. Het was een schitterend gezicht, maar Jakob en Vezel keken niet. Zij zwoegden door het hete zand.

'Weet je wel zeker dat dit een droom is?' vroeg Jakob.

'Heel zeker.'

'Maar meestal word je wakker als je weet dat je droomt.'

'Jij niet. Ja, als je graag zou willen zóu je nu wakker kunnen wor-den.'

'Ik blijf liever nog even,' zei Jakob, 'al begin ik flink dorst te krij-gen.'

Ze kwamen aan een rivier. Aan de oever lag een roeibootje. De veer-man was een kraanvogel.

'Voor een lied zet ik jullie over,' zei hij. 'Maar als je niet wilt zin-gen, doe ik het ook, hoor. Ik houd gewoon veel van liederen.'

Jakob en Vezel dronken uit de rivier, stapten in de roeiboot en zon-gen. De kraanvogel roeide met zijn vleugels. Toen het lied uit was, zei hij: 'Eigenlijk ben ik al dood. Allebei mijn poten afgebroken – dan kom je niet ver als kraanvogel.'

Jakob keek naar de poten van de vogel. Ze waren heel handig in twee gaten in de bodem van de boot gestoken en hielden zo het wa-ter buiten.

'Weet je dat je niet eens kunt vliegen als je poten zijn afgebroken?' zei de veerman. 'Je komt niet van de grond! Daarom tuur ik graag in het water. Dan zie ik mijn kop weerspiegeld, met hoog boven mij de wolken, en is het net of ik vlieg.'

'Wat een idiote droom is dit,' zei Jakob.

'Jouw droom,' zei Vezel.

'Zit die alleen in *mijn* hoofd, of ook in het jouwe?'

'Ik droom dit ook. Je kunt voortaan dromen wat je wilt. Als je van mij wilt dromen, kom ik.'

'En andersom? Als jij...?'

'Andersom werkt het ook. Maar dit is jóuw droom.'

'Hoe kan dat zo opeens? Ik bedoel...'

'Dat is mijn afscheidscadeau aan jou.'

'Wauw!' zei de veerman. 'Ik heb mijn taak volbracht! Nu krijg ik mijn poten terug, dan kan ik weer vliegen!'

Het bootje stootte zacht tegen de oever. Jakob en Vezel stapten uit.

'Maar dan,' begreep Jakob, 'hébben we helemaal geen afscheid genomen!'

'Je snapt het,' grijnsde Vezel.

'Had je me ook geen cadeau hoeven geven!'

De jongens schaterden het uit. Ze keken nog even om en zagen de kraanvogel op de oever staan. Hij was blijkbaar vergeten zijn poten uit de gaten te trekken toen ze weer aangroeiden, want de roeiboot hing als een afgezakte rok om z'n knokige knieën.

'Wil *ik* dit dromen?' vroeg Jakob.

'Blijkbaar.'

'En wat kan ik jou cadeau doen?'

'Niks,' grijnsde Vezel. 'We hebben immers geen afscheid genomen.'

'Ik zal veel van je dromen,' zei Jakob.

Ze liepen verder en kwamen bij een klein wit huis. Achter het huis, in de zon, zat een oude vrouw. Ze wás niet oud, zag Jakob, ze léék oud – als uitgeteerd door een ziekte. Op haar schoot lag een stuk hout, dat ze bewerkte met een klein mesje. Aan haar voeten zat een kleuter, die de gevallen spaanders opraapte en in een mandje deed.

'Dit moest ik je laten zien,' zei Vezel. 'Dat jongetje is je grootvader.'

Maar Jakob keek naar de witte handen van de vrouw.

Hij zag wat ze sneed.

Ze sneed een zwaan.

Het mes schoot uit. Bloed drupte uit de vinger van de vrouw en droop langs de kop van de zwaan. Ze keek ernaar, knikte, stak toen haar vinger in haar mond.

'Het zal een rode zwaan worden, Jakob,' zei ze tegen de kleuter. 'Een rode zwaan... Wil je aan papa vragen of hij de zwaan rood verft?'

'Ja mama,' zei het jongetje.

'Hoe kan ik dit dromen...?' fluisterde Jakob.

'Dit krijg je van mij,' zei Vezel.

Hij nam Jakobs hand en trok hem mee het bos in. Op de open plek met de sparren bleef hij staan. Hij begon te neuriën, en Jakob werd wakker van een vrolijk getiedeldiedomtiedom vlak naast zijn oor.

'Tiedeldiedomtiedom, tiedeldiedomtiedom, tiedeldiedom, tiedom, tiedom, tie, tiedeldiedomtiedee...'

Echt wakker werd hij niet, want wie buiten slaapt, slaapt diep, tot op de bodem van de slaap; die komt niet één, twee, drie aan de oppervlakte. Zo verging het ook Jakob. Hij zweefde behaaglijk tussen bodem en ontwaken, daar waar je denkt dat je al denkt maar eigenlijk nog droomt. Hij zag Vezel staan, op een enorm toneel, omgeven door sparren, onder het felle licht van vele manen. Hij hoorde zijn lied en zong de woorden mee:

'Jongetje is een man, jongetje is een man...'

De stem bij zijn oor zong:

'Meisje uit de bossen, meisje, meisje is een vrouw.'

Het was Neeltje. Ze zat vlak naast hem en rommelde vergenoegd in een mand die tot de rand gevuld was met kaas en potjes jam en broden. Ook was er een fles met de drank die ze gisteren bij het feest genoten hadden. Neeltje viste de spullen een voor een omhoog en rangschikte ze tot een feestelijk ontbijt.

Jakob trok zijn oogleden langzaam op en keek naar de lage duinen rondom. Daarin was het Houtvolk verdwenen. De kinderen, de vrouwen, de Koningin, Vezel. Maar hoe hij ook keek, nergens zag hij een opening, een hol, een gat, een deur... Ja, hij zag ondiepe graafoefeningen van konijnen, maar in het scherpe licht van de ochtend kon hij het einde daarvan zien. Ze liepen dood op zand en niets dan zand. Het Houtvolk was verdwenen. Hun vuur was koude as geworden. Het enige wat restte was de mand met eten.

Het was vroeg in de ochtend, de zon ging nog schuil achter de bomen in de verte. Jakob had hooguit twee uur geslapen, maar door de reis in zijn droom leek het of hij een dag lang onder zeil was geweest. Hij bevond zich nog steeds in die andere wereld, die andere tijd. Stiller dan ooit, nu het Houtvolk sliep of was verdwenen en het stampen van de karpermannen niet meer werd gehoord. Er stond geen zuchtje wind. De lage doornstruiken op de toppen van de duinen stonden als gegraveerd in het licht van de opkomende zon. Twee roofvogels leken op de grijsblauwe hemel gestempeld. Dit was de wereld van Vezel, de tijd van Vezel. Alleen Vezel was er niet. Neeltje bewoog haar hand op en neer voor zijn gezicht.

'Jaapkop Slaapkop,' zei ze.

Als ze 'Vader Jakob, slaapt gij nog?' gaat zingen, ga ik gillen, dacht Jakob. Maar dat deed ze niet. Ze kwam naast hem zitten, stak hem een stuk brood toe en maakte de fles open.

'Ik weet waar we zijn,' zei ze. 'Kijk...'

'Ik wil naar huis,' zei Jakob.

'Denk om je grootvader, jochie.'

Opeens kwam de droom terug.

'Ik heb de zwaan gezien,' zei Jakob. 'Grootvaders moeder heeft hem gesneden, mijn overgrootmoeder, toen ze ziek was. Bijna dood. Ze zat in het zonnetje, achter haar huis, en grootvader zat aan haar voeten. Ze sneed in haar vinger, ze zag hoe mooi het rood van haar bloed langs de kop van de zwaan liep en zei: "Het zal een rode zwaan worden, Jakob. Wil je aan papa vragen of hij de zwaan rood verft?" Vezel was er ook bij.'

'Dus zo is het gegaan,' zei Neeltje. Ze sloeg haar handen voor haar ogen en beet haar tanden op elkaar. 'Zijn moeder heeft hem gemaakt...

Nou, ze heeft haar zin gekregen, Jakob. De zwaan was rood, de zwaan was roder dan rood toen hij vloog.'

Wat wist Neeltje van de zwaan? Wat kón ze ervan weten? Het duizelde Jakob. Wat had hij haar verteld?

'Kijk,' zei ze, opeens weer nuchter, en wees: 'zie je daar de watertoren van Duin en Bosch boven de bomen uitsteken? Iets ten noorden daarvan ligt Bakkum. We moeten gewoon recht op de zon af, dan komen we thuis. Maar eerst...'

'Ja, precies,' zei Jakob. 'Maar eerst.'

Hij staarde naar de zon, die gehuld in een doorschijnend roze gewaad boven het bos uitsteeg. Hij staarde en staarde, verdreef de droom met geweld uit zijn kop, kneep zijn ogen tot spleetjes om scherper te kunnen zien en... *sprong* op!

'Kom mee!' schreeuwde hij.

Hij was al op pad voor Neeltje kon vragen wat er in hem gevaren was.

'Kom op!' riep Jakob. 'Hoe sneller dit allemaal voorbij is, hoe liever het mij is.'

'Wil je niet eerst eten?'

'Ga af op de rook...! Kijk dan toch!'

Hij stond stil en wees naar de zon. Neeltje tuurde tot haar ogen ervan traanden. Toen knikte ze en stond op. Jakob wachtte tot ze bij hem was, maar wendde zijn blik geen moment af van de dunne sliert rook die uit het bos steeg en de grote rode zon in tweeën leek te delen – zo bang was hij dat de rook zou vervliegen voor ze het vuur gevonden hadden. Hand in hand renden ze de duinen af, de vlakte over, het bos in.

'Jezus!' zei Jakob. 'Hoe kun je nou weten welke kant je op moet in een bos? Ik zie geen rook meer.'

'Gewoon doorlopen.'

'Zal ik in een boom klimmen?'

'Nee,' zei Neeltje, 'dat kan altijd nog. Ik weet zeker dat het vuur ergens bij het meer is. Ik weet de weg. Kom.'

Ze renden niet meer, ze liepen, al leek het nog het meest op marcheren. Ze kwamen langs een weiland, staken een sloot over, en uiteindelijk trok Neeltje Jakob een zandpad op dat diep het bos inliep.

'Zijn we hier gisteren ook geweest?' vroeg Jakob. 'Toen de karpermannen achter ons aanzaten?'

'Nee,' zei Neeltje.

'En met het Houtvolk?'

'Ook niet.'

Stilte. Niets dan stilte. De aarde dreunde niet onder hun voeten, nergens klonk het getierittie van een meesje, nergens het gemoedelijke gebabbel van het Houtvolk... Er was niets om bang voor te zijn, niets om je in te verheugen. Er was niets. Helemaal niets. Alleen Neeltje en Jakob. In een wereld taai als stopverf.

Ze liepen voort en kwamen op een driesprong. Er liep een pad naar links en een naar rechts.

'Rechtdoor,' zei Neeltje.

Nu moest hij alweer over prikkeldraad klauteren! Jakob was blij dat het volop dag was en dat hij kon zien wat hij deed.

'Weet je het zeker?' vroeg hij nog.

'Kijk maar.'

Neeltje keek naar de toppen van de bomen achter de versperring. Jakob volgde haar blik en zag de rook. Dikke wolken stegen naar de zon. Het vuur moest heel dichtbij zijn. Hij stak het pad over, duwde met zijn voet de onderste draad omlaag en trok de bovenste omhoog.

'Na u,' grijnsde hij.

Hij had er geen idee van wat hem nu weer te wachten stond, maar hij was niet bang. Er was niets meer dat hen bedreigde en als het een beetje meezat en de put en de Koningin hadden de waarheid gesproken, dan was hij over korte tijd terug bij grootvader en kon hij hem zelfs genezen van zijn koorts.

'Het gaat om de zwaan... Meer zeg ik niet.' Dat waren de woorden van de Koningin.

Neeltje kroop tussen de draden door, Jakob liet ze los, zette zijn voet op de bovenste en sprong er lenig overheen. Ze beklommen een duin.

'Nou, wat zei ik je?' vroeg Neeltje.

Aan hun voeten lag het meer. En hooguit veertig meter bij hen vandaan... het eiland. Het was dichtbegroeid. Van tussen bomen en struiken wolkte rook omhoog.

'Waar wacht je nog op?' riep Neeltje.

Ze galoppeerde tussen de bomen door naar beneden. Jakob volgde haar langzaam.

'Er moet hier ergens een bootje zijn,' riep hij. 'Ik zag twee vissers, vlak voor ik viel op de brug.'

Hij speurde het meer af, maar hoe dichter hij bij het water kwam hoe minder hij ervan zag. Het eiland en een landtong benamen hem het uitzicht. Het uitzicht op het meer dan. Niet dat op Neeltje...

Haar klompen en haar sokken lagen naast haar in het zand, en ze was behendig doende de eindeloze rij knoopjes aan de voorkant van haar jurk los te maken. Ze keek naar haar razendsnelle vingers, haar hoofd gebogen, de witte scheiding glom op in het licht van de zon.

'Ik heb écht een bootje gezien,' zei Jakob.

'Zo kan het ook,' zei Neeltje zonder op te kijken.

Ze stapte uit de jurk en trok haar ondergoed uit.

'We waden of zwemmen,' zei ze. 'Hangt ervan af hoe diep het is. We houden onze kleren droog boven ons hoofd.'

Ze vouwde haar kleren tot een net bundeltje op het zand, zette haar klompen erop, en kwam overeind. Ze wierp haar vlechten over haar naakte schouders naar achteren en zei: 'Kom op, jochie.'

Jakob sloeg zijn ogen neer. Het bloed kookte in zijn hoofd. Hij dacht aan duizend dingen tegelijk... Je kon net zo goed aan niets denken. Hij schrok geweldig toen zijn mond opeens iets zei:

'De karpers zijn teruggezet, ik heb ze zelf gezien vannacht, ze zwemmen weer rond. Ze azen op ons.'

'Hé!' zei Neeltje.

Jakob keek op.

'Bloed jij? Bloed ik?' vroeg ze.

Ik ben wel gek ook! dacht Jakob. Dit wil ik toch graag zien? Het bloed zakte weg uit zijn hoofd. Hij ging rechtop zitten en bekeek Neeltje aandachtig.

Zéér aandachtig.

Het leek uren te duren.

Een wandelaar in de gewone tijd, die langs het meer liep, zou hen waarschijnlijk kunnen zien – zo lang bleven ze onbeweeglijk. Althans zo scheen het Jakob toe. Zou Eva er ook zo uitzien? dacht hij. Natuurlijk wist hij heel goed hoe vrouwen eruitzagen onder hun kleren; hij had vaak samen met zijn moeder onder de douche gestaan en in Amsterdam struikelde je bijna over de enorme borsten die uit de etalages van sexshops puilden, maar hier stond een levend meisje van zijn eigen leeftijd tegenover hem...

Neeltje liep naar het water.

De wandelaar knipperde verbaasd met zijn ogen en liep verder langs het meer, een mooie fata morgana rijker.

'Het is een warme zomer geweest!' riep Neeltje, en keek om naar Jakob. 'Het water is vast nog heerlijk. Kom op!'

Jakob voelde geluk in zich opwellen. Puur geluk. Dat ze hem zo vertrouwde! Dat ze zomaar vrolijk en bloot rondhuppelde waar hij bij was! En dan te bedenken dat hij twee dagen geleden niet eens naar de welving van haar borsten had durven kijken toen ze helemaal gekleed was...! Het leven is mooi, dacht Jakob. Hij had maar één probleem: een stijve piemel.

'Draai je om!' riep hij.

Ze deed wat hij vroeg en Jakob kleedde zich snel uit. Hij frommelde zijn kleren samen en hield ze voor zijn buik. Zo rende hij het water in, Hij liet zich vallen, draaide zich tijdens zijn val, en zwom. Op zijn rug.

'Je kunt hier nog makkelijk staan, hoor,' zei Neeltje, en daar had je die plagerige twinkeling in haar ogen weer, 'en de karpers bijten niet vandaag.'

'Ken je dat liedje van de Gniep niet?' vroeg Jakob.

'Nee,' zei ze, 'zing es...'

Jakob begon te zingen. Weer zoiets... Hij kon zich niet heugen dat hij ooit voor iemand een liedje had gezongen. Behalve dan voor de kraanvogel, samen met Vezel, maar dat was in een droom. Hij zong:

Ik ben alleen in de zee,
het water is koud
en donker en zo diep.
En opeens ben ik bang,
want vlak onder mij
daar zwemt... de Piemelgniep!
Jongetjes van Nederland,
zwem toch op je rug!
De Piemelgniep ligt op de loer
en hij geeft nooit iets terug...

Neeltje schaterde het uit. Zij was al bij het eiland. Ze hing haar kleren over een boven het water hangende tak, gooide haar klompen aan land, maakte haar handen tot kommetjes en begon Jakobs hoofd én zijn kleren nat te hozen.

'Hou op!' schreeuwde Jakob. 'Dit is niet eerlijk, ik kan niks terugdoen!'

'Lekker toch!' gilde Neeltje.

Ze ging gewoon door. Jakob liet zijn benen zakken tot hij weer zand tussen zijn tenen voelde, hij draaide zich om en... bevroor bijna in die beweging.

Van het eiland kwam een stem:

'Zijn jullie daar...' Een scheurende hoest klonk door de stilte, alsof de eigenaar van de stem, duidelijk een man, een kartonnen eierdoos naar binnen zat te werken terwijl hij sprak: 'Zijn jullie daar eindelijk?'

Jakob stond verstijfd. Was het een van de vissers? Dat kon niet, zij zaten niet in deze tijd. Tenminste, dat leek onwaarschijnlijk. Maar wie dan? Wie zat er 's morgens in alle vroegte een vuurtje te stoken op een eilandje? En wie bevond zich, net als Neeltje en hijzelf, in de versnelde tijd? Een van het Houtvolk? Een karperman...?

Neeltje zwiepte haar kletsnatte vlechten over haar schouders en riep tot Jakobs ontsteltenis: 'We komen eraan!'

'Dat werd... uchuh... uchuh... tijd!' riep de stem.

Neeltje maakte een uitnodigend gebaar naar het eiland. De oever was steil, ze moesten zich aan de takken optrekken om aan land te komen.

'Jij gaat voor,' zei Neeltje, 'zo hoort dat.'

Jakob waadde langs haar en trok zich op aan de tak waaraan haar kleren hingen. Hij voelde haar handen tegen zijn billen. Zo duwde ze hem het eiland op. Hij draaide zich om en stak zijn hand uit. Neeltje greep hem en ook zij zette voet aan land.

De plek waar zij stonden bood plaats aan vier voeten. De rest van het eiland was overwoekerd met bomen en struiken, en braam en meidoorn hadden zich door de takken en stammetjes geweven tot een hecht vlechtwerk. Jakob vroeg zich af hoe ze daar ooit doorheen kon den komen. Ja, met een zwaard... Doornroosje. Neeltje stond dicht tegen Jakob aan, maar de opwinding was weggeëbd.

'Weet jij wie dat is, die daar roept?' vroeg Jakob.

'Geen idee. Draai je eens om.'

Jakob deed wat hem gezegd werd. Neeltje begon zijn rug droog te wrijven. Jakob gluurde over zijn schouder. Ze gebruikte haar hemd als handdoek.

'Eigenlijk heb je zo'n hemd helemaal niet nodig,' zei ze, 'met zo'n achterlijke jurk om je lijf.'

'Waarom heb je die dan aangetrokken?'

'Goeie vraag,' zei Neeltje.

Aan het antwoord kwam ze niet toe. De stem klonk weer over het eiland: 'Komen jullie nog?'

Die zin was zó kort, dat hij net tussen twee hoestbuien door kon.

'We kleden ons voor het bezoek!' schreeuwde Neeltje.

'Maar je weet niet eens wie hij is!' fluisterde Jakob.

'We moeten naar de rook,' zei Neeltje, 'dat is onze opdracht, dus wat maakt het ons uit wie hij is?' Ze schreeuwde: 'Waar zit u ergens?'

'In het noord... uchuh... uchuh... uchuh... oosten!'

'Wij in het zuidwesten. Is het nog ver?'

'Een meter of dertig!'

'Ik wist niet dat het zuidwesten zo dicht bij het noordoosten lag,' schreeuwde Neeltje. 'Wat is de wereld toch klein!'

'Kom nu... uchuh... uchuh... maar, Neel!' riep de stem. 'De vis is bijna klaar... En voor jou... uchuh... uchuh... heb ik wel wat anders, Jakob.'

IJzige kou trok over Jakobs vel. De stem is van iemand die ons kent, dacht hij, van iemand die ons góed kent. Hij kent onze namen! Hij maakt vis en weet dat ik ziek word van vis... Hij maakt voor mij iets anders. Wie is hij...? Opeens zag Jakob niets meer. Neeltje had z'n onderbroek over zijn hoofd getrokken.

'Kleed je aan, joh,' zei ze.

Ze reikte hem haar kletsnatte hemd. Hij wreef er nog wat mee over z'n lijf en schoot in z'n kleren.

'We komen!' schreeuwde Neeltje.

Zij stortte zich onvervaard de rimboe in. Jakob volgde. Ze worstelden zich tussen twijgen, takken en stekels door. Ze moesten nog flink klimmen. Dat het eiland een heuvel was hadden ze door de bosschages niet kunnen zien. En grootvader had het ook niet verteld, in zijn verhaal over de wisselvrucht.

'Moet je zien wat hier allemaal groeit!' zei Neeltje enthousiast. 'Wilg, kastanje, esdoorn... Je kunt het zo gek niet bedenken of het is er. Van alles één. Dit eiland lijkt wel een korte samenvatting van het bos!'

'Ben je hier nog nooit geweest?'

'Nooit,' zei Neeltje. 'In al die jaren niet.'

Ze praat niet alleen alsof ze ouder is, dacht Jakob, ze *voelt* zich ook ouder. Hij hielp haar met het lospeuteren van een vlecht die in een rank van een braamstruik verstrikt was geraakt.

'Misschien hadden we beter een stukje verder kunnen zwemmen,' zei hij toen hij voor de zoveelste keer een zwiepende tak in zijn gezicht kreeg, 'om het eiland heen. Hadden we in het noordoosten aan land kunnen gaan...'

Hij zag een eik die boven de andere bomen uitstak. Was daar de top van de heuvel? Dan was dat de plek waar ooit de boom stond die de vruchten voor de Goden droeg. Als je naar de kruin van de eik klom zou je zien wat de jongen zag toen hij door de slangentong omhooggeslingerd werd.

Jakob klauterde verder achter Neeltje aan en toen ze bij de eik kwa-men, stonden ze aan de rand van een open plek: een heldergroen wei-tje, dat steil naar het water van het meer afliep. Op het gras stond een hut, voor de hut brandde een vuurtje, bij het vuurtje zat een man.

Jakob keek om zich heen. Zijn eerste gedachte betrof niet de man, niet de misselijkmakende geur van vis die opwolkte, maar een klein strandje onder aan de weide. Er groeide een rozenstruik. Duizenden bottels hingen aan de takken. Naast de struik stond een treurwilg, die zich spiegelde in het rimpelloze water van het meer. Zie je wel, dacht Jakob, we hadden even door moeten zwemmen, hier hadden we zo aan land gekund... Toen pas rook hij de vis, toen pas zag hij de man. En hij dacht: Robinson Crusoë, eilandbewoner.

'Schuif aan,' zei de man. 'Jakob, jij dáár, uit de wind, dan... uchuh... uchuh... ruik je de vis niet.'

Die stem...!

De man zat zelf ook uit de rook, maar was blijkbaar zó verkouden, dat hij voortdurend naar adem leek te snakken. Maar de stem die uit dat volle hoofd kwam...

Die stem had Jakob eerder gehoord.

Ergens.

Ooit.

Toch wist hij honderd procent zeker dat hij de man nog nooit in zijn leven gezien had. Robinson Crusoë, gehuld in lompen, een touw om zijn middel. En dat hoofd! Jakob wist niet dat er zó veel haar uit één hoofd kon groeien. Het hing van achteren ver over zijn schouders, van voren ver over zijn borst, en onder zijn neus ver over zijn mond.

Maar die stem...

En de man kende hen! Hij wist dat Jakob zelfs niet tegen de *geur* van vis kon. Jakob ging zitten. Uit de wind. Handen geven en voor-stellen behoorden op dit eiland blijkbaar niet tot de goede zeden. Hij moet praten, dacht Jakob, veel praten, dan kom ik er wel achter waar ik zijn stem van ken. Maar de man zei niets, hij keek van Jakob naar Neeltje, en terug, snoof luidruchtig snot omhoog, en knikte daarbij tevreden. Ook Neeltje zweeg. Het duurde akelig lang. Actie! dacht Jakob, en hij vroeg: 'Kent u het verhaal van de wisselvrucht?'

'Ja, natuurlijk,' zei de man. Hij wentelde het spit waaraan een grote vis al bruin en knapperig boven het vuur hing. 'En als je soms... uchuh... uchuh... wilt weten... uchuh... Ja, het is echt gebeurd. De Goden houden zich nog stil, en ik heb geen vrucht in de aanbieding, maar soms kun je de tong van de... uchuh... uchuh... slang op de heuvel zien dansen. Ik heb het vroeger vaak gezien, toen je... uchuh... uchuh... uchuh... grootvader hier woonde als jongen en ik me op dit eiland kapot zat te... uchuh... uchuh... vervelen. Ik ben blij dat ik eindelijk weer eens iets... uchuh... kan doen.'

Het woord 'grootvader' deed het. Jakob slaakte een diepe zucht en liet zich verbijsterd achterovervallen in het gras. Uit het verkouden hoofd kwam *grootvaders* stem!

'Nu weet ik wie u bent!' zei hij.

'Hè hè,' zei de man, 'dat werd... uchuh... tijd. Ik had je iets intelligenter verwacht. Je bent immers ook een... uchuh... uchuh... uchuh... een beetje míjn kleinzoon.'

Grootvaders stem. Jakob herinnerde zich het gesprek in het café, hij hoorde de stem van grootvader in zijn hoofd:

'Mensen die heel bewust leven hebben een slordige Reisgenoot, en slordige mensen een heel oppassende... Mensen als ik, die alles zelf proberen te regelen, hebben weinig mazzel. Zij doen bijna nooit een beroep op hun Reisgenoot – dus die wordt lui, traag van geest en vergeetachtig...'

Jakob zat tegenover de Reisgenoot!

Grootvaders Reisgenoot!

'Ik dacht anders,' zei hij en krabbelde weer overeind, 'dat u zelf ook nogal traag van geest was.'

De Reisgenoot schaterde het uit, kreeg een rolberoerte van de hoestbui die zijn keel besprong, wrong zich in allerlei bochten, en spuwde uiteindelijk een vette fluim in zijn hand. Hij bestudeerde het slijm aandachtig, grijnsde, en smeerde het aan zijn broek.

'Zo,' zei hij, 'die zijn we kwijt. Dat krijg je, als je zo lang niet hebt gepraat...'

'Logisch,' zei Neeltje.

Jakob ging bijna over zijn nek.

'Je grootvader weet niets van Reisgenoten,' zei de Reisgenoot. 'Piet-je Precies als-ie is. Je waagt wel eens een gokje, toch, en dan gaat het fout, toch, en dan kan een Reisgenoot... Ja toch? Beetje redderen. Maar jouw opa? Altijd op zeker. Ik sjok al driekwart eeuw als een zombie achter hem aan. In plaats van voor hem uit... Maar wat denk je? Nog geen snoeppapiertje laat hij vallen of hij raapt het zelf weer op... Ik ben een geval van ernstige verwaarlozing.'

Dat kun je wel zien ook, dacht Jakob.

'Ik wist niet wat ik meemaakte,' zei de Reisgenoot, 'toen hij echt van het dak gleed! Het moest gebeuren. Wist ik toch! Maar ik kon het al die tijd niet geloven. Maar huppetee!, daar glibberde hij zowaar naar beneden...'

'Was u er dan bij?' vroeg Jakob.

'Altijd.'

'Kon u hem niet tegenhouden toen hij viel?'

'Wat zegt jouw opa?' grinnikte de Reisgenoot. 'Slordig, lui, traag van geest, vergeetachtig. En niet almachtig. Ook maar een soort van mens... Dát ben ik. Precies.'

'Maar...' zei Jakob.

'Maar,' zei de Reisgenoot, 'weet je nog dat die aannemer zei dat jouw grootvader zo lang aan de dakgoot kon hangen? Dat-ie zoveel kracht in zijn handen had...? Die heeft hij niet. Hij hing niet, hij steunde op mij... Ik dankte de hemel dat ik weer es wat kon doen.'

'En daarna?'

'Daarna? Wat nou "daarna"?'

'Hij ijlde als een gek! Ik dacht dat hij doodging!'

'Hij gaat niet dood. Wat dacht je! Als hij doodgaat, moet ik met hem mee. Ik doe wat ik kan.'

'En u kon niks?'

'Wachten.'

'En waarom bent u nu niet bij hem?'

'Ben ik.'

163

'En u zit hier!'

'Hier én daar. Ik heb geen last van ruimte en tijd – heeft je groot-vader dat niet uitgelegd?'

'Jawel,' zei Jakob, 'maar u zegt dat hij er geen verstand van heeft.'

'Hij wéét wel dingetjes,' zei de Reisgenoot, 'en hij kan het mooi ver-tellen, maar hij snapt lang niet alles van wat hij weet en vertelt.'

'Hoe is het nu met hem?'

'Hij ijlt.'

'En u zit hier kalmpjes een visje te roosteren!'

'Hier wel.'

'En wat doet u dáár dan?'

'Niks.'

Er stak een woede in Jakob op.

'Kalm maar,' suste de Reisgenoot. 'Ik kan wel iets voor hem doen, maar daar heb ik jou voor nodig.'

'Je vis verbrandt!' schreeuwde Neeltje.

Ze dook naar voren en griste het spit weg van het vuur. Dikke wol-ken stegen op uit het vissenlijf. Een aangename schroeilucht dreef Ja-kobs neus in. Ha! dacht Jakob. Dit zou grootvader nooit gebeuren. Grootvader was de meest secure barbecuer na Christus. De Reisgenoot nam het spit van Neeltje over en begon er, in een poging het brandje in de vis te doven, zó woest mee in het rond te zwaaien, dat het ver-koolde beest losschoot en met een fraaie boog richting struikgewas ver-dween.

'Shit!' zei de Reisgenoot.

'U moet "merde" zeggen,' zei Jakob.

''t Is goed met je,' antwoordde de Reisgenoot. 'Ik ben je opa niet.'

Nee, dacht Jakob, dat is duidelijk. Hij keek naar het lange haar dat als een doorzichtig, vet douchegordijn om het hoofd van de Reisge-noot zwierde, en dacht aan grootvader die nog vóór de verbouwing be-gon de badkamer schoon wilde maken, om zich altijd als hij er zin in had te kunnen wassen. Maar de stem was hetzelfde, en als je door al het haar en de slonzige kleding heen zou kunnen kijken, kon het best eens zijn dat je eronder iemand aantrof die sprekend op grootvader leek. De Reisgenoot stond op en liep naar zijn hut.

'Het enige wat ik ooit voor die opa van jou heb kunnen doen,' riep hij, 'is wat ziektes van hem overnemen. Heb jij je grootvader wel eens ziek gezien? Zelfs maar verkouden? Zien hoesten, zien fluimen als ik...? Nee, precies. Dat soort lullige klusjes knap ik voor hem op... Wil iemand een boterham?'

'Nee, dank u,' zei Jakob.

'Eigenlijk,' zei Neeltje, 'komen we voor de zwaan.'

'De rode zwaan,' zei Jakob.

'De zwaan,' zei de Reisgenoot en bleef stilstaan voor de ingang van zijn hut. Hij keek peinzend in de verte. Toen zei hij: 'Voor hij van het dak viel, was *dat* de enige keer in zijn leven dat ik hem helpen kon. Maar hij was zó in paniek. Ik droeg hem de zwaan na, maar hij rende weg. Als een dolleman. "Donder op!" riep hij. "Donder jij nu ook maar op!"'

De Reisgenoot wendde zich tot Jakob: 'Begrijp je waarom ik jou nodig heb?'

'Nee,' zei Jakob.

'Als *ik* hem zijn zwaan breng... Hij ligt daar, koorts, dromen van vroeger, en zijn zwaan komt achter hem aan, en in een helder moment ziet hij hoe zijn zwaan naar hem terug komt vliegen...! Hij kan *mij* niet zien. Dan raakt hij nóg meer in de war dan hij al is!'

'U kunt de zwaan toch gewoon naast hem neerzetten?'

'Dat hij uit het niets opduikt? Misschien dat hij het tijdens het ijlen geweldig vindt, maar als hij helder is en gaat nadenken, krijg je hetzelfde effect: hij zal zijn ogen en zijn hersens niet geloven en opnieuw gaan malen.'

'Maar wat kan *ik* dan doen?' vroeg Jakob.

'De zwaan vinden. Op de plek waar hij hem lang geleden kwijtraakte. Dat zal hij geloven.'

'Heeft u de zwaan?'

De Reisgenoot bukte zich, ging zijn hut binnen, en kwam vrijwel ogenblikkelijk weer naar buiten. In zijn hand droeg hij een klein verweerd stuk hout. Hij gaf het aan Jakob. Het was een stuk van een tak, zag Jakob, dat door een speling van de natuur een vorm had gekregen die enigszins aan een zwaan deed denken. De onderkant was bijna volmaakt plat. Zijn droom kwam in alle helderheid terug: hij zag de zieke vrouw in de zon achter haar huis zitten. De zwaan op haar schoot, grootvader als kind aan haar voeten, het mes in haar hand... Ze had het mooi gedaan: fijne oogjes, een stevige snavel en sierlijk gesneden lijnen langs de vleugels. Op de plekken waar het mes zijn werk had gedaan, in de kerven, zag hij sporen rode verf.

'Ach gossie,' zei Neeltje.

'Hij bleef echt drijven,' zei de Reisgenoot. 'Rechtop. Alsof-ie zwom.'

'Nou!' zei Neeltje. 'Prachtig was dat! Vooral als er een stevig briesje stond en hij dobberde op de golfjes...'

Ze stond op en liep naar Jakob toe. 'En wat *was* hij rood!' Ze stak haar hand uit en streelde het koppie van de zwaan. 'Mag ik even?' vroeg ze. Ze nam de zwaan en plofte naast Jakob in het gras.

Jakob keek naar haar en wist: ik ben nog nooit in mijn leven zó bang geweest als nu...

Hij was bang toen hij grootvader bloedend op het luchtbed zag liggen, hij was bang voor het zwaard van de karperman, suizend vlak boven zijn hoofd, hij was nóg banger toen hij op de zolder van het restaurant besefte dat hij in een andere tijd terecht was gekomen en geen hulp van buitenaf mocht verwachten, hij was op een andere manier heel even bang toen Neeltje zich aan de oever van het meer uitkleedde... Maar zo bang als nu? En opeens, alsof er een krant langswaaide waar het in stond, wist hij: ze is geen meisje. Ik weet niet wie ze wel is, maar een meisje is ze niet. Ze is een ander, ze speelt een spel, net als toen ze in het lichaam van het meesje zat...

Kalm, dacht Jakob, en hij wreef zijn handen langs zijn slapen. Slechts kalmte kan ons redden.

'Je begint de dingen te begrijpen,' zei de Reisgenoot.

'Helemaal niet! Ik begrijp juist steeds minder!'

'Dat bedoel ik,' zei de Reisgenoot.

'Ik snap helemaal niks!' riep Jakob. 'Ik snap niet waarom ik hier ben en wie jullie zijn!'

Neeltje sloeg zijn arm om zijn schouder.

'Blijf van me af!' Jakob liet zich achterovervallen en rolde weg door het gras. 'Moest ik dit allemaal meemaken voor die achterlijke zwaan? Al die avonturen, al die angst! Was er dan echt niks anders te bedenken om grootvader beter te maken?'

'Wil je een boterham met pindakaas?' vroeg de Reisgenoot.

'Ga toch weg!' schreeuwde Jakob.

'Dan niet,' mompelde de Reisgenoot. 'Een doorgewinterde hulpverlener ben ik niet, dat geef ik toe.'

Jakob richtte zich op en keek Neeltje aan. Kalm! dacht hij. En hij vroeg: 'Wie ben jij?'

Neeltje klopte met haar vlakke hand op de grond naast zich.

Jakob aarzelde. 'Zul je eindelijk alles eerlijk vertellen?' vroeg hij.

'Het is geen lang verhaal,' zei Neeltje.

Jakob ging naast haar zitten en kreeg de zwaan in zijn armen geduwd. Hij rook Neeltjes haar.

'Moet ik straks ook afscheid van jou nemen?' vroeg hij.

'Niet van mij, wel van dit meisje... Ik zal je het verhaal van je grootvader vertellen. Als het uit is, zul je alles begrijpen. Luister, lieverd...'

'Ik ben je lieverd niet, en jij de mijne niet. Jij bent niet wie je bent, niet wie je lijkt... Misschien ben je wel een vrouw van het Houtvolk.'

'Nee,' zei Neeltje. 'Ik heb het Houtvolk gezien, meer niet. Net als jij.'

'Maar ik ben Jakob, Jakob van dertien, overal, in deze wereld en in die andere waar ik thuishoor... Jij bent niet Neeltje van dertien of veertien, jij bent iemand anders.'

'Dertien,' zei Neeltje. 'Verrukkelijk dertien. Je zit nu net zo met die zwaan als je grootvader destijds. Die zwaan was alles voor hem. Hij praatte met hem, vertelde hem 's nachts wat hij overdag had meegemaakt en de verhalen die hij had gehoord. En de zwaan luisterde en zei af en toe zelfs iets terug – dat wist je grootvader zeker.'

Ze vertelde niets nieuws. Jakob wist uit eigen ervaring hoe dierbaar een knuffel kan zijn. Maar door de manier waarop Neeltje vertelde, door haar stem, door het bewegen van haar lippen alleen al, werd hij toch weer gevangen. Om de ban te breken wendde hij zich af, keek om zich heen en omhoog. Een reiger hing stil boven het meer.

'Ik heb nooit geweten hoe hij aan de zwaan gekomen was. Tot jij het me vanmorgen vertelde. Misschien wist hij het zelf ook niet meer, toen hij ouder werd.'

'Hij wist het nog wel,' zei de Reisgenoot.

'Dan heeft hij me het nooit verteld,' zei Neeltje. 'Hoe dan ook, vanaf z'n vroegste jeugd waren ze onafscheidelijk, je grootvader en zijn zwaan. Ze speelden samen, sliepen samen, en alleen als je grootvader naar school ging liet hij de zwaan thuis. Hun gelukkigste uren brachten ze door bij het duinmeer. Er stond nog niet overal prikkeldraad, je kon komen en gaan waar je wilde, en soms speelden ze de hele dag aan en in het water. De zwaan kon sierlijk zwemmen, mooi rechtop. En 's nachts sliep hij dan, nat als hij was, naast grootvaders hoofd op het kussen. Op een zomerse dag bij het meer is hij de zwaan kwijtgeraakt... En het was mijn schuld. Je grootvader was twaalf, of dertien...'

'Dat kan toch helemaal niet!' zei Jakob. 'Dat was zestig jaar geleden! En trouwens, ik ken nog iemand die zegt dat het zijn schuld is,' zei Jakob. 'Háár schuld, bedoel ik... En dat kan wel, want zij is een oude vrouw, die vroeger...'

'Jakob...' zei Neeltje.

En Jakob herkende de stem.

De stem van de oude dame.

De stem van de oude dame, die meeklonk in de stem van het meisje Neeltje. Jakob voelde zich koud worden als de jongen in de bek van de slang...

Zij was het.

'Snap je het nu?' vroeg ze.

Jakob sprong op en rende weg. Hij klom, met de zwanenhals tussen zijn tanden geklemd, in de eik aan de rand van de open plek. Hij klom tot in de top, waar de takken dun en breekbaar waren. Ze braken niet. Hij stak zijn hoofd boven de hoogste bladeren uit en wachtte op verkoelende wind. Er was geen wind in deze wereld, deze tijd.

Jakob wilde denken, maar hij kon niet denken. Hij keek om zich heen. Hij zag de duinenrij in het westen, de toren van Duin en Bosch in het zuiden, het dorp in het oosten, en tussen toren en dorp de felle zon in het zuidoosten. De Haagsche Weg liep als een dunne streep van het bos naar de Heereweg. Rechts van de plek waar de wegen elkaar ontmoetten moest grootvaders huis staan. Jakob pijnigde zijn ogen, maar kon in de wirwar van huizen en tuinen en schuurtjes niet ontdekken onder welk dak grootvader lag te ijlen. Hij haalde diep adem en zwaaide zijn hoofd heen en weer, woest als een hond die water uit z'n vacht schudt. Hij moest naar beneden. Grootvader wachtte op zijn zwaan. Die moest hij hem gaan brengen. Nu. En misschien, dacht Jakob, is mijn taak dan eindelijk volbracht. Kom ik eindelijk terug. Eindelijk thuis... Genees ik niet alleen grootvader van zijn krankzinnigheid, maar ook mijzelf van de mijne.

Nog één keer probeerde hij grootvaders huis te vinden, maar het mislukte opnieuw. In plaats daarvan zag hij de oude witte Volvo van zijn moeder de Haagsche Weg opdraaien. De auto leek stil te staan, maar Jakob wist beter. Zijn hart sprong op van vreugde. Nog geen vijfhonderd meter scheidden hem van zijn moeder en de veilige trage wereld waarin *zij* leefde; vijfhonderd meter én een grens tussen twee werelden waarvan hij niet wist waar die zich bevond, maar die hij zo snel mogelijk moest zien te overschrijden.

Hij wilde zwaaien, maar begreep dat dat geen zin had. Bovendien kon hij, hoezeer hij ook zijn best deed, zijn moeder niet achter het stuur zien zitten. Hij zag alleen de auto. Hij klauterde roekeloos snel de boom uit.

Neeltje en de Reisgenoot zaten bij het vuur te praten. Jakob rende langs hen heen het weitje af, naar het strandje tussen rozenstruik en wilg.

'Jakob!' riep de Reisgenoot. Met grootvaders stem.

Jakob stond stil.

'Ik zal je de rest vertellen,' zei Neeltje. Met een stem waarin die van de oude vrouw doorklonk.

Jakob draaide zich om.

'Mijn moeder is er...'

'Gun ons tien minuten,' zei Neeltje.

'Een vingerknip in de tijd van je moeder,' voegde de Reisgenoot eraan toe.

Dat was natuurlijk waar. Al zouden ze een uur tegen hem aan ouwehoeren. In die tijd had z'n moeder de auto nog niet eens geparkeerd. Maar haar aanwezigheid, zó dichtbij. Hoewel... misschien zou hij niet eens met haar kunnen praten, zág ze hem niet eens, moest hij de beker van dit avontuur tot de bodem leegdrinken vóór hij terug kon komen in de werkelijke wereld. Met grote tegenzin klom Jakob terug naar het vuur.

'Tien minuten,' zei hij en hij ging zitten, een eindje bij de anderen vandaan. 'En dan wil ik *terug*...'

'Beloofd,' zei de Reisgenoot.

Neeltje knikte hem vriendelijk toe. Haar natte vlechten dansten langs haar hoofd. Ze was prachtig. Nog wel. Neeltje, wat scheelt je? Een appel met een steeltje... Neeltje met het geurende haar, die ergens anders een oude vrouw was, maar hier niet, niet hier, niet op deze plek, niet in deze wereld, niet in deze tijd, waar ze een meisje was, dat hem in de war gebracht had, dat hem haar naaktheid had laten zien, op wie hij bijna, *bijna* verliefd was geworden...

'Waarom heeft u niet eerder gezegd wie u was?' vroeg hij.

'Omdat,' zei ze, 'ik niet zo'n zin had om de hele tijd met "u" aangesproken te worden.'

'Sorry,' zei Jakob. 'Maar waarom ben je uitgerekend als meisje van mijn leeftijd gekomen?'

'Om de snelheid van de jeugd.'

'Maar waarom dan niet als renpaard? Of als olifant – als je toch alles kunt?'

'Om de snelheid én om de gezelligheid.'

'Dat bedoel ik juist. Die gezelligheid, die...'

'Vond je het niet gezellig?'

Ai! Die lichtjes in haar ogen! Jakob probeerde de oude vrouw in haar gezicht te zien, zoals hij in haar stem de oude vrouw hoorde. Het lukte niet. Ze bleef een prachtig meisje.

'Laat maar,' zei Jakob. 'Je begrijpt me heel goed.'

'Die achterlijke zwaan waar jij het over had,' zei de Reisgenoot opeens helder en goed formulerend, alsof hij lang had nagedacht over wat hij zeggen wilde en het vervolgens uit zijn hoofd had geleerd, 'die zwaan is het enige wat jouw opa kan genezen. Hij wil terug naar zijn jeugd, daarom is hij naar Bakkum gekomen, maar het lukt hem niet. Terugkeren naar de plek van je jeugd is gevaarlijker dan je zou denken. Je herinneringen vallen nooit samen met de werkelijkheid van de plek. Want die is veranderd. En als je dat ziet, gaat het schuiven in je hoofd. Dat moet je niet hebben, geschuif in je hoofd. Zeker niet als je ook nog eens koorts hebt. Je grootvader is de sleutel naar zijn jeugd kwijt. De zwaan is de sleutel.'

'U lijkt meer op grootvader dan u zelf denkt,' zei Jakob. 'Net zo serieus...'

'Met dit verschil,' zei de Reisgenoot, 'dat ik het niet voor mijn lol doe, zoals je grootvader. Ik ben alleen serieus als het moet. En nu moet het. En jij moet luisteren. Je kunt een opdracht niet goed uitvoeren als je niet alles weet wat ermee te maken heeft.'

Hij keek Jakob strak aan. Hij léék niet op grootvader, zag Jakob, hij wás grootvader. Hij was werkelijk grootvader... En Jakob luisterde.

'In ieders leven komt een dag waarop je de jeugd achter je laat en de volwassenheid betreedt. De meeste mensen weten niet meer welke dag dat was, en zelfs niet of ze twaalf, dertien, veertien of ouder waren, maar je grootvader weet het nog heel precies, en van die dag droomt hij. Hij wil terug naar zijn jeugd, maar hij komt niet verder dan die dag. Hij is toen zó geschrokken van wat hij meemaakte en daarbij dacht en voelde, dat hij zijn zwaan vergat. Nee, het was nog erger. Hij vergat hem niet, hij liet hem achter. Ik droeg hem de zwaan nog na... Ik moest wel, ik wist dat hij niet terug zou komen om hem te zoeken. Nee, het was zelfs nóg erger. Hij liet hem niet achter, hij stuurde hem weg! "Donder jij nu ook maar op!" riep hij. Tegen de zwaan die door zijn moeder was gemaakt.'

'En waar moeders bloed nog op zat,' zei Jakob.

'Dát wist hij niet meer,' zei de Reisgenoot.

'Waarom is hij hem niet gaan zoeken?'

'Duizenden redenen in één, als zo vaak. Hij voelde zich te oud, te volwassen voor een knuffelzwaan, hij wilde absoluut nooit meer langs het huis waar Neeltje woonde, en vergeet niet: hij had de zwaan werkelijk zien *vliegen* in mijn hand. En je opa is dol op sprookjes, maar zodra ze echt dreigen te gebeuren, weet hij niet hoe snel hij zich uit de voeten moet maken... Zo raakte hij hem kwijt, en nu wil hij hem terug. Hoe zegt hij dat zelf ook weer zo aardig? Zo steekt de schorpioen z'n giftige angel in zijn eigen kop...? Hij neemt het zichzelf niet kwalijk dat hij de zwaan toen heeft achtergelaten, nee, hij neemt het zichzelf kwalijk dat hij nooit is gaan zoeken... En nu denkt hij dat hij zonder de zwaan nooit helemaal kan terugkeren naar zijn jeugd. En omdat hij dat denkt, is het waar. De rode zwaan is de sleutel... Snap je het nu?'

'Nee,' zei Jakob eerlijk. 'Nog steeds niet.'

'Je hebt gelijk,' zuchtte de Reisgenoot. 'Ik kan het niet uitleggen. Ik heb te lang niet met mensen gepraat. Doe jij het maar, Neel.' Er schemerde een glimlach door zijn snor. 'Per slot van rekening was het allemaal jouw schuld.'

'Dat heb ik altijd gedacht, ja,' zei Neeltje.

Jakob keek omhoog. De reiger hing nog op dezelfde plek aan de hemel; zijn moeder was waarschijnlijk nog niet eens aan het parkeren. Toch kon hij niet langer wachten.

'Neeltje,' vroeg hij, 'wil je me de rest vertellen terwijl we naar huis lopen? Of zwemmen...'

De Reisgenoot stond op.

'Er ligt een roeibootje met twee vissers onder de treurwilg,' zei hij en hij nieste vervaarlijk. Hij stak zijn hand naar Jakob uit. 'Denk je ook aan mij als je grootvader ooit doodgaat?'

Jakob drukte de hand.

'Ooit?' vroeg hij.

'Het zal nog wel een tijdje duren. Vooral nu jij hem zijn zwaan terugbezorgt. Bedenk wel... je hebt hem *gevonden*.'

'In het riet, niet ver van de brug,' zei Jakob.

De Reisgenoot knikte en kuste Neeltje op allebei haar wangen.

'Het was heerlijk je weer eens in deze gedaante te zien,' zei hij. 'Het bracht dierbare herinneringen tot leven.'

'Ik was verliefd op hem, écht verliefd,' zei Neeltje. 'Dat mag je nooit vergeten!'

Ze daalden af naar het strandje. Jakob voorop, Neeltje in diep gepeins achter hem aan.

'Ik heb al die tijd gedacht dat het *mijn* schuld was,' zei ze zacht. 'Maar het was omdat hij min of meer zijn moeder had verraden.'

'Overdrijf niet zo!' zei Jakob.

'Min of meer, zei ik,' zei Neeltje. 'Min of meer.'

Ze vonden de roeiboot onder de takken van de wilg. Eén visser zat aan de riemen, de andere zat op zijn knieën in de punt met een touw in zijn handen. Ze stapten in en namen de roeier de riemen uit handen.

'Pats! Wég riemen!' zei Jakob.

Neeltje glimlachte. Ze namen allebei een roeispaan en gingen naast elkaar op een bankje vóór de roeier zitten. Tussen de wilg en de rozenstruik door konden zij de open plek zien. Dunne rook steeg nog naar de hemel, maar de Reisgenoot zagen zij niet meer. Ze roeiden weg van het eiland.

'Kijk,' zei Neeltje, 'zie je daar de wisselvrucht?'

Ze knikte naar het bruggetje in de verte. Jakob keek en zag hem liggen, rechts van de brug, aan de boskant.

'Daar is het gebeurd,' zei ze.

'Ik wil het niet horen,' zei Jakob.

'Vanwege die gezelligheid van jou en mij?'

'Zoiets...'

'Dan heb je pech. Je zult wel moeten luisteren, want ik wil het vertellen. En je oren staan open, want je moet roeien... Het is al een kort verhaal, maar in werkelijkheid duurde het nog korter. We gingen zwemmen, ik, je grootvader en zijn zwaan. Dat deden we wel vaker. We waren heel keurig in die dagen. Het waren keurige tijden, hoe verliefd je ook was... Ik had een keurig badpak, hij had een keurig badpak, en we kleedden ons altijd heel keurig om, ieder aan een keurige kant van een keurige struik. Maar die dag had ik de gekte in mijn kop. Ik weet niet hoe het kwam. Ik wilde je grootvader een beetje plagen, uitdagen... Ik was gek op hem, maar hij liet nooit eens merken wat hij van mij vond. Hij was veel meer in zichzelf gekeerd dan jij. Ik kleedde me razendsnel uit, gluurde door de struik, wachtte tot ook hij bloot was, sprong in m'n nakie tevoorschijn, griste al zijn kleren weg, en hield ze boven m'n hoofd. Zo ging ik voor hem staan. "Pak ze dan, als je kan..." zong ik.'

Jakob zag het voor zich. Akelig precies.

'Ik wilde wel eens zien hoe hij zou reageren,' zei Neeltje, 'als ik daar zo voor hem stond. Ik dacht eerlijk gezegd dat hij het *leuk* zou vinden. Spannend... Ik wilde verder niks. Alleen wat plagen. Stoeien misschien. En natuurlijk ook laten zien hoe lief ik hem vond.' Ze zweeg even, dacht na, en zei: 'Maar hij werd woedend...'

'Hij was bang,' zei Jakob. 'Ik was ook bang toen je daar zo stond. Maar ik heb het niet laten merken. Dat is het enige verschil.'

'Jij dacht aan het moment zelf,' zei Neeltje, 'aan wat er op dat moment gebeurde. Je grootvader dacht aan de toekomst, aan het grote "als", ook al was die toekomst maar één minuutje verder in de tijd: Wat moet ik doen áls ze... Hij begon te krijsen: "Blijf van me af! Raak me niet aan! Ga weg!" En omdat ik helemaal niet van plan was hem aan te raken, schoot ik in de lach. Woedend werd hij: "Lach niet! Geef me mijn kleren terug. Ik heb het koud!" Het was zo'n hete dag, ik moest nóg harder lachen...'

Dat zijn de woorden die grootvader schreeuwde in zijn koorts, dacht Jakob. Nu komt de zwaan.

'Ik had je grootvader nog nooit zó kwaad gezien,' vertelde Neeltje, 'maar pas toen hij begon te roepen van "Ik houd niet van je geintjes, ik wil je nooit meer zien," begreep ik dat het hem ernst was. Ik stond tussen hem en de brug en opeens stormde hij op me af. "Opzij!" schreeuwde hij, en hij rende langs mij heen de brug op. Ik geloofde op dat moment waarachtig dat hij in staat was om naakt naar huis te rennen. "Wacht!" riep ik. "Je kleren!" "Donder op!" riep hij. Hij draaide zich om en schudde zijn vuist naar mij: "Donder op!" Toen zweeg hij. Ik zag zijn ogen groot worden van angst. Zijn vuist zakte langzaam en zijn mond viel open. Ik keek achterom... Ik zag de zwaan... De rode zwaan... Hij steeg op uit het water en vloog naar de brug.

Het was een van de mooiste dingen die ik ooit heb gezien, Jakob, die sierlijk vliegende, felrode houten zwaan... Hij vloog niet echt, hij zwom, hij dobberde op de lucht – zo mooi. Maar je grootvader begon nog harder te schelden: "Donder jij nu ook maar op!" riep hij naar de zwaan. Hij liep de brug af, bloot als hij was... Ik vond het prachtig. Ik was dol op sprookjes, en vond het altijd zo jammer dat ze alleen maar woorden waren, woorden en beelden in mijn hoofd, meer niet, maar toen ik de zwaan zag vliegen, wist ik: ze kunnen echt gebeuren, en ze gebéuren ook echt. Nu...! Ik ben in een sprookje terechtgekomen!

Ik had het nog niet gedacht, of... de wereld stond stil. Alle geluiden vielen weg, niets bewoog. Ik had het eerst niet in de gaten. Ik zag je grootvader stilstaan op het duinpad en dacht dat hij toch zijn kleren terug wilde. Ik rende naar hem toe, over de brug, ik struikelde, ik viel, ik bloedde... Ik schreeuwde om hulp, maar hij keek niet om.'

Jakob keek naar het oude, verveloze stuk hout op zijn schoot. Hij sloot zijn ogen en zag hoe het vloog, rood, oogverblindend rood in het zonlicht, hoe het zwom, dobberde op de lucht... een rode zwaan.

'En toen?' vroeg hij.

'De rest kun je raden.'

Jakob knikte.

'Ik zag eerst de wisselvrucht,' zei hij, 'toen werd alles stil, en daarna viel ik pas...'

'Jij wilde de vrucht zien... Ik wilde houten zwanen zien vliegen... Maar jouw wil was sterker, jij hebt het op eigen kracht gedaan. Ik ben geholpen door Jakobs Reisgenoot.'

'Heb je toen het Houtvolk gezien?'

'Ik ben een paar jaar bij ze gebleven. Er was voor mij geen reden om eerder terug te gaan. Ik vermoedde dat je grootvader mij niet meer wilde zien, en ik kreeg gelijk. Toen ik terug was zag ik hem soms in het dorp, maar als hij mij zag maakte hij zich altijd uit de voeten... Hij is ook nooit meer teruggekeerd naar het meer in die vier, vijf jaar voor hij hier wegging. Er zat voor de Reisgenoot niets anders op dan de rode zwaan bewaren tot je grootvader hem eens nodig zou hebben. Nu dus. En daarom moest jij hem vinden, in het riet, op de plek waar hij hem ooit heeft achtergelaten... Want brengen kan de Reisgenoot hem niet. Dat heeft hij je uitgelegd.'

Ze waren bij de brug aangekomen.

'Laten we nog iets verder roeien,' zei Neeltje. 'Naar die steiger daar, dan hoeven we de brug niet over.'

In het water onder de brug, vlak onder het oppervlak, hingen de stille lijven van de karpers. Het zonlicht bescheen hun gruwelijke muilen en de baarddraden ernaast.

'Drijvende stofzuigers,' mompelde Jakob als in een bezwering, 'drijvende stofzuigers, drijvende stofzuigers...'

Ze roeiden verder.

'Achteraf ben ik de karpermannen nog dankbaar ook,' zei Neeltje. 'Door hen heb ik het Houtvolk ontmoet.'

'Ik weet niet of ik ooit zo aan ze terug zal kunnen denken.'

'O jawel. Zeker weten. Maak jij het touw vast?'

Jakob kroop naar de punt van de boot, nam het touw en sloeg het om een paal van de steiger. Neeltje legde de roeiriemen terug in de schoot van de visser. Ze klommen op het houten platform en volgden een smal pad tussen struiken en lage bomen. Na nog geen dertig meter kwamen ze bij een afrastering van prikkeldraad met daarin een houten hekje. Er zat een hangslot op. Achter het hekje stond de scheve boom. Iets verderop zag Jakob het huis van de oude vrouw. Nu gaat het gebeuren, dacht hij, nu zal ik afscheid van haar moeten nemen.

'Dit is de laatste keer in mijn leven dat ik over prikkeldraad klim,' zei hij vastberaden.

Maar in dat 'klim' zat een snik. Hij slikte, grijnsde, trok de draden van de versperring wijd uiteen.

'Na u.'

'Dank je, jongen.'

Neeltje kroop door de opening. Jakob klauterde zonder kleerscheuren over de draden heen. Hij maakte een kleine buiging naar de scheve boom.

'Heel goed,' zei Neeltje.

'Is dit de grens?' fluisterde Jakob.

'De grens is daar waar je werkelijk wilt uitstappen. Voor mij is het altijd weer in mijn huisje. Daar wil ik zijn.'

Ze knikte naar haar huis, iets verderop. Haar vlechten zwierden om haar hoofd. Zo mooi... Ze begon te lopen. Niet doen! dacht Jakob. Maar ze deed het toch. Hij liep met haar mee. Ze liepen tot ze voor het huisje stonden.

'Ga je nog even mee naar binnen?' vroeg Neeltje.

'Word je daar...?'

'Ja.'

'Dan ga ik niet mee.'

Ze stonden tegenover elkaar. Ze keken en zwegen en Jakob had het gevoel dat hij alweer in een andere tijd was beland. Een tijd waarin alles voor eeuwig duurde. Toen hij sprak, leek het of zijn woorden van ver kwamen, alsof ze uit voorbije eeuwen kwamen aangevlogen: 'En wat nu?'

'Kijk,' zei Neeltje, en ze wees met haar hoofd naar het begin van de Haagsche Weg. 'Is dat je moeder?'

Jakob keek. De witte auto was geparkeerd, het portier stond open, zijn moeder stak haar hoofd naar buiten.

'Mams!' schreeuwde hij.

De hele wereld leek zich als een kermis vol herrie over hem heen te buigen. Alles bewoog en maakte geluid: vogels stegen met hels gekrijs op uit bomen, fietsers kwamen zingend uit het bos, met vrolijk blaffende honden aan de lijn, hanen kraaiden, vliegtuigen kwamen bulderend over.

'Mams!'

Hij zette het op een lopen en de oude dame zag hem gaan.

'Ren maar, lieverd,' zei ze zacht.

Jakob liet zijn tranen de vrije loop. 'Mams! Ik ben terug!'

Fietsers keken lachend naar hem om, de wind joeg om zijn hoofd, kiezels verschoven knerpend onder zijn rennende voeten, hij hoorde grashalmen wuiven en buigen.

'Mams!' Hij zwaaide.

Ze zwaaide terug.

'Ik ben er weer!' riep Jakob.

Zijn moeder spreidde haar armen. Net op tijd. Jakob wierp zich aan haar borst. Ze omhelsde hem.

'Jongen toch,' zei ze. 'Wat is er met je?' Ze streek door zijn haren en kuste hem op zijn hoofd. 'Waar kom je vandaan? Wat heb je gedaan?'

Ze duwde Jakob voorzichtig van zich af en bekeek hem met een schuin hoofd, alsof ze een nieuwe trui keurde.

'Wat is er met je arm? Bloed? En met je vingers? En je broek? Wat zie je eruit! En wat heb je onder je arm?'

Jakob keek naar de oude, verveloze zwaan onder zijn arm.

Alles was echt gebeurd.

Daar was hij al bang voor.

De fooi

'Jij nog iets gedroomd?' vroeg grootvader aan Jakob. 'Iets waar ik wat aan heb? Of gewoon iets moois?'

'Of iets over poep?' vroeg Liv, Jakobs kleine zusje dat tussen hen in op de achterbank zat. 'Ik heb vannacht erg mooi gedroomd over poep.'

'Lees jij maar lekker verder,' zei Jakob, en hij streek een lok haar achter haar oortje.

'Ik kan lezen en luisteren tegelijk,' zei ze. 'En ook nog vertellen, als jullie de droom willen horen.'

'Nou...' zei grootvader.

'Nee,' zei Jakob. 'Livs dromen zijn té vies. Ik ken ze... Luister maar naar mijn droom. Het was een droom van niks, maar fijn om te dromen. Ik liep door het bos, in Bakkum, bij het duinmeer, en het wemelde er van de toeristen. Ze hadden allemaal reusachtige camera's om hun nek, ze wilden vogeltjes fotograferen. Maar de vogeltjes vlogen steeds weg, en dan zei ik: "Wacht even." En ik stak mijn wijsvinger uit, en dan streken de vogels daar op neer, een voor een, en lieten zich geduldig fotograferen. Dat was het.'

Dat loog hij. Hij verzweeg Vezel.

'Heeft u daar iets aan?'

'Ik zal hem onthouden,' zei grootvader.

'Wilt u niet véél liever mijn droom horen?' vroeg Liv.

'Een andere keer. We zijn er bijna... Deze heuvel hebben ze gemaakt met het zand van wat nu het duinmeer is.'

Jakobs vader stuurde de auto het viaduct over het spoor op.

'Zandbehoefte,' mompelde Jakob.

'Zandbehoefte,' grijnsde grootvader.

Ze sloegen rechtsaf, de Heereweg op.

'Kijk eens naar buiten, Liv,' zei grootvader. 'Daar, kijk... Dat is mijn huisje. Dat witje.'

Jakob keek mee.

Daar was het allemaal begonnen.

'Hier links, Jacques,' zei grootvader. 'Dat is de Haagsche Weg, daar kun je je auto kwijt.'

Vader draaide het weggetje in en parkeerde de auto. Ze stapten uit op het parkeerplaatsje, grootvader, Liv, Jakob, mams en vader.

En hier was het opeens afgelopen, dacht Jakob.

Vader haalde de opvouwbare rolstoel van grootvader uit de achterbak en zijn moeder keek naar het bos. Ze stond op precies dezelfde plek als vijf dagen geleden, toen Jakob als een gek op haar af kwam rennen. Ze had hem opgevangen en gevraagd wat er allemaal gebeurd was en Jakob had gezegd dat hij dat later nog wel eens zou vertellen.

'Natuurlijk, lieverd,' zei ze. 'Maar hoe is het met grootvader?'

'Dat weet ik niet, ik ben een poosje weggeweest.'

'Kom op dan.'

Ze liepen naar het huis, de verpleegster deed open. Ze keek Jakob met grote ogen aan.

'Wat heb jij in hemelsnaam uitgevoerd?'

'Dat vertelt hij later nog wel eens,' zei mams, 'hoe is het met mijn schoonvader?'

'Koorts. Af en toe gaat hij vreselijk tekeer, maar nu is het stil. Misschien kunt u hem beter even met rust laten.'

'Natuurlijk,' zei mams.

'Ik ga toch even naar hem toe,' zei Jakob.

'Liever straks,' zei de verpleegster.

'Doe maar niet,' zei mams.

'Het moet,' zei Jakob.

Hij liep door het smalle gangetje naar de kamer, ging naar binnen en schrok van grootvaders gezicht. Zo oud! Zo afgeleefd en zo verbitterd! Zijn mondhoeken wezen omlaag alsof een idiote marionettenspeler er van beneden aan trok. Maar hij ademde nog, met horten en stoten maar toch... hij ademde. Jakob knielde naast hem neer.

'Grootvader,' fluisterde hij. 'Grootvader, de zwaan is terug, de rode zwaan... Kijk.'

Grootvaders oogleden schoven langzaam open.

'Kijk dan,' zei Jakob, en hij hoorde dat hij sprak alsof hij een wild dier probeerde te temmen. 'Kijk dan, hier is de zwaan, kijk dan... Jakob.'

Grootvaders lippen trokken recht, maar de glimlach die op zijn gezicht verscheen zat in z'n ogen, niet in z'n mond.

'Ben je nog nat?' fluisterde hij. 'Geeft niet hoor, Zwaan. Kom maar lekker op het kussen.'

Jakob legde de rode zwaan op het kussen. Grootvader draaide zijn hoofd naar de zwaan. Zijn ogen vielen weer dicht en een diepe zucht ontsnapte aan zijn mond. Zijn ademhaling werd rustig. De glimlach had nu ook zijn mond gevonden. Grootvader sliep tot aan de avond en toen hij ontwaakte was de koorts verdwenen.

Nu was het zondag, de laatste dag van de herfstvakantie. Ze waren gekomen om grootvaders huisje te bewonderen. Aannemer Sturris en zijn mannen hadden hard gewerkt, ze waren zelfs zaterdag doorgegaan, de verbouwing was klaar.

'Het zal mij benieuwen,' zei vader. 'Geef ons maar eens een rondleiding door je paleisje.'

'Nee,' zei grootvader. 'Nog niet. We gaan eerst wat drinken bij "Johanna's Hof".'

'Wil je niet zien hoe je huis geworden is?' vroeg vader.

'Straks. Als Neeltje er ook is.'

'Wie is Neeltje?'

'Straks. Eerst wat drinken.'

'Kun je met de auto niet bij dat restaurant komen?'

'Jawel, maar ik wil door het bos. Jakob duwt me wel. Toch, Jakob?'

Jakob knikte. Samen met zijn vader hielp hij grootvader in de rolstoel.

'Karren maar!' riep grootvader.

'Mag ik straks duwen?' vroeg Liv.

'Natuurlijk,' zei grootvader.

'Je mag nu wel,' zei Jakob, 'dan neem ik het van je over als we door mul zand moeten.'

Liv greep de handvatten en begon enthousiast te duwen. Mams en vader liepen met de rolstoel mee. Jakob volgde hen op afstand. Hij keek naar het huis van Neeltje. Als ze maar achter het raam zit, dacht hij. En toen dacht hij: Als ze maar *niet* achter het raam zit... Of toch wel...? Of...

Net toen ze dinsdagavond besloten hadden dat het het beste was voor grootvader om verder uit te zieken in Amsterdam, en mams de auto voorgereden had, kwam Neeltje langs.

Neeltje de oude vrouw.

Jakob schrok vreselijk. Van haar en van zichzelf. Van haar omdat ze zoveel ouder was dan hij zich herinnerde, van zichzelf omdat hij dacht: Wat is ze *lelijk*...! Ze keek hem aan, kneep haar ogen even dicht, glimlachte, en de rimpels sprongen heen en weer als vlooien op een trommel in een tekenfilm. Jakob wist dat dit een keer zou gebeuren, *moest* gebeuren... Hij had er niet bij willen zijn toen het meisje Neeltje veranderde in de oude vrouw Neeltje, maar hij wist donders goed dat ze elkaar ooit tegen het lijf zouden lopen, in deze wereld, deze tijd, en dat ze oud zou zijn. Maar zó oud...

Neeltje, wat scheelt je? Een appel met een steeltje...

Verschrompeld en beurs.

Waar ben je gebleven?

Tijdens hun avonturen in het bos kon Neeltje vaak zijn gedachten lezen. Nu kon ze dat blijkbaar niet meer. Of ze had geen zin in lezen. Ze liep naar grootvader, die op zijn luchtbed zat, de zwaan onder zijn arm.

'Dag Jakob,' zei ze, 'ik ben Neeltje.'

Heel langzaam begon grootvader te stralen.

'Neel,' zei hij, 'wat ben je mooi geworden.'

En toen gebeurde er iets vreemds. Neeltje liet zich op haar knieën zakken, boog haar hoofd naar dat van grootvader, en kuste hem. Maar dat was niet zo vreemd. Het vreemde was, dat Jakob jaloers was. Een beetje maar, maar toch. En opeens zag ook hij hoe mooi ze geworden was. Nee, gebleven... altijd geweest.

'Welkom thuis, jochie,' zei ze tegen grootvader.

Ze glimlachte, en in haar rimpels zag Jakob de paden die zij samen door het bos gelopen en gerend hadden.

'En hier woont Neeltje,' hoorde hij grootvader zeggen.

Jakob schudde de herinneringen uit zijn hoofd. Liv duwde grootvader langs het huis. Neeltje zat niet achter het raam. Misschien sliep ze, of was ze ergens anders. Misschien sliep ze én was ze ergens anders. Héél ergens anders...

'Zij komt aan het eind van de middag even langs,' zei grootvader. 'Jullie zullen haar aardig vinden. Dan steken we gezellig de open haard aan. Het wordt al kil 's avonds. Ik hoop dat het driedubbele glas geplaatst is.'

'En dat de gordijnen hangen,' zei Jakob.

'Wil jij nu een stukje duwen?' vroeg Liv.

Ze had de scheve boom in het oog gekregen en rende eropaf. Ze wilde klimmen. Ze was niet de enige. Zeker tien kinderen probeerden tegen de schuine stam op te kruipen. Jakob greep de handvatten van de rolstoel en begon te duwen. Bij de scheve boom maakte hij een kleine buiging.

'Goed zo,' zei grootvader vergenoegd.

'Wat is er zo goed?' vroeg vader.

'Dat snap jij niet,' zei grootvader.

'O,' zei vader.

Samen met mams bleef hij onder de scheve boom staan om te zien hoe goed Liv kon klimmen. Jakob reed grootvader het mulle zandpad naar het bruggetje op. De gele bloemen hingen slap op hun stelen. Er was in vijf dagen veel veranderd.

'De herfst is het mooiste seizoen,' zei grootvader. 'Je kunt de herfst nu ook ruiken. Soms denk ik zelfs dat de geur van winter al in de lucht hangt. Als je een echte herfst wilt meemaken moet je in Nederland zijn, niet in Frankrijk. Nederland is wereldkampioen herfst. Blij dat ik hier weer ben... Mensen denken vaak dat lente een begin is, maar lente is het knechtje van herfst. De herfst is het begin van alles. In de herfst vallen de vruchten in de aarde, in de herfst worden ze toegedekt met bladeren. Daar en dan begint de groei. De lente mag met zijn harkje rondgaan en blaadjes weghalen, opdat alles wat groeien wil vrij spel krijgt, meer niet. Maar iedereen valt voor de pracht en de praal van de lente... Wat zou grandmère vandaag genoten hebben. Maar ze was zo eigenwijs, ze wilde nooit naar Nederland komen.'

Ze kwamen bij een heuveltje. Jakob ploegde de wielen van de rolstoel met geweld door het mulle zand.

'Gaat het? Ik kan ook wel een stukje lopen.'

'Ik red het wel,' zei Jakob. 'Straks gaan we naar beneden, dan komen we bij het bruggetje.'

'Jakob... Wanneer vertel je me wat je hebt meegemaakt?'

'Haast is de vijand van ieder verhaal,' zei Jakob.

'Die zit,' zei grootvader.

'Het is allemaal nog zo groot in mijn hoofd,' zei Jakob.

'En de uitgang is te klein?'

'Zoiets,' zei Jakob. 'Maar... ik weet niet of ik het mag vertellen, maar... u gaat nog lang niet dood.'

'Ben je daar zo bang voor geweest, lieve jongen?'

'Ja,' zei Jakob.

'De dood bestaat alleen voor wie achterblijft,' zei grootvader. 'Op zich is het een mooi ding, dat de mens moet sterven. Zoals ik nu geniet van de herfst... Als je nooit zou sterven, zou je nergens meer op letten, zou je niets bijzonder vinden en van niets kunnen genieten, zou je denken: Als de herfst zo mooi is, kijk ik daar volgend jaar wel naar, of het jaar daarna, of over duizend jaar, misschien heb ik dan tijd... Grandmère heeft geweldig goed opgelet, vooral in de laatste jaren van haar leven. Ze had haar wereld heel klein gemaakt, maar in die kleine wereld kende ze ieder plekje, iedere roos in haar tuin persoonlijk. En toen ze wist dat ze dood zou gaan, lette ze nóg beter op...'

'Goed vasthouden!' riep Jakob.

En hij denderde met grootvaders slingerende rolstoel de heuvel af. Het bruggetje stond propvol kinderen en ouders en grootouders. Dat je geen nummertje hoeft te trekken, dacht Jakob, om je oude brood in het water te mogen keilen! Hij gluurde over de railing. Daar dreven ze, de karpers. Ze leken nauwelijks geïnteresseerd in het brood. Ze keken omhoog, naar de kinderen.

'Drijvende stofzuigers,' mompelde Jakob, 'drijvende stofzuigers, drijvende stofzuigers...'

'Jakob,' vroeg grootvader, 'bestaat de Reisgenoot?'

Jakob keek naar de oever links van de brug. Hij zag de wisselvrucht niet. Van het eiland steeg geen rook meer op.

'Ja,' zei hij.

'Wanneer kun je het vertellen?'

'Al gauw,' zei Jakob.

Hij had nog niets verteld.

Ja, zijn moeder had hij iets op de mouw gespeld over de boswachter. Na het waar gebeurde verhaal over hun ontmoeting en hun gesprek had hij gelogen dat hij dinsdag weer zonder duinkaart het bos ingegaan was, en gevlucht was toen hij de man in de verte aan zag komen. Er kwam een hoop prikkeldraad voor in zijn relaas.

Grootvader had maar één vraag gesteld.

Dat was toen ze dinsdagavond samen achter in de auto naar Amsterdam reden. Grootvader had zijn rode zwaan op schoot, en Jakob, uit solidariteit, zijn ouwe Jip. Zo zaten ze met zijn vieren op de achterbank en grootvader vroeg:

'Heb je het Houtvolk gezien, Jakob?'

Jakob gaf geen antwoord. Hij wilde wel, maar kon niet. Hij barstte in snikken uit. Hij huilde erbarmelijk.

'Het is de spanning,' hoorde hij grootvader zeggen.

Maar het was iets anders... Het was een onbenoembaar gevoel van afscheid, waarvan hij wist dat het nooit meer over zou gaan. Het huilen zou ophouden, geen probleem, maar het gevoel zou blijven, zijn leven lang, hoe vaak hij Vezel ook zou ontmoeten in zijn dromen, hoe vaak hij ook met de oude Neeltje zou praten over de avonturen die ze samen beleefd hadden...

Hij klemde zijn tanden op elkaar en begon te neuriën. Alleen de melodie, het wijsje, maar de woorden liepen mee in zijn hoofd:

Meisje is een vrouw,
meisje is een vrouw.
Jongetje uit de bossen,
jongetje,
jongetje is een man...

Grootvader sloeg zijn arm om Jakob heen.
'Je hebt ze gezien,' zei hij.
Jakob knikte en de woorden waren in de melodie gevallen:

Jij bent mijn lief,
mijn meisje,
ik ben jouw jongen lief.
We gooien de baby op
en vangen hem overmorgen weer.

Jakob duwde grootvader naar het einde van de brug. Hij keek over zijn schouder, om te zien waar Liv en zijn ouders bleven.
'Hé!' schreeuwde hij. Hij liet de rolstoel los, rende terug de brug op, en trok zijn zusje van de leuning af. 'Ben je nou helemaal gek geworden!' schreeuwde hij. 'Zo meteen val je nog!'
'Ik geloof dat er maar één gek geworden is,' zei vader. 'En dat ben jij. Bezorgdheid is een mooi ding, maar gaat dit niet een beetje te ver? Die schat heeft twee diploma's.'
'Ze mag best in het water vallen,' zei Jakob, 'maar niet op de brug.'
'Ja,' zei een klein stemmetje, 'want dan ga je bloeden en dan komen de visjes uit het water.'
Jakob herkende het meisje dat hij hier vijf dagen geleden ook had ontmoet en dat hij daarna met haar ouders en haar broer door het bos had zien lopen.
'Nu hoor je het eens van een ander,' zei hij tegen zijn vader en moeder, en hij zette Liv voorzichtig neer.

Zijn vader nam Liv bij de hand en beende met grote passen de brug af, geamuseerd nagekeken door de mensenmassa. De vader van het meisje keek Jakob oplettend aan.

'Ben jij hier laatst gevallen?' vroeg hij.

Jakob knikte.

'Je was zomaar weg!' zei het meisje. 'Foetsie...!'

'Dat verklaart veel,' zei de man tegen mams.

'Dat neem ik dan maar aan,' zei mams.

Daar was mams goed in: niks vragen als ze wist dat je toch geen antwoord zou geven. Ze legde haar arm over Jakobs schouder en samen liepen ze de brug af.

'Daar meteen links!' riep Jakob naar zijn vader, die samen met Liv de rolstoel duwde. 'Daar is een speelweide, met een zandbak voor Liv.'

'We zouden iets leuks moeten bedenken voor grootvaders nieuwe huis,' zei mams. 'Het zal daar nog wel een kale boel zijn.'

'Z'n spulletjes komen toch volgende week?'

'Ja, maar toch...'

'Wacht es,' zei Jakob. 'Mag het duur zijn?'

'Dat hangt ervan af wat je duur noemt.'

'Dat weet ik juist niet,' zei Jakob. Hij vertelde van zijn ontmoeting met de schilder.

'Dat is een erg aardig idee,' zei mams. 'Een schilderij als herinnering aan Frankrijk. Zijn ze echt mooi?'

'Van Frankrijk,' zei Jakob, 'of van Bakkum... Ze zijn echt heel erg mooi. En ik weet zeker dat grootvader een schilderij van Bakkum het allermooist zal vinden.'

'We hebben het er nog wel eens over.'

Liv had de zandbak gevonden, ze zat op de houten rand. Maar ze speelde niet, ze keek naar een groep kinderen en een jonge vrouw die midden op de weide een kringspel deden en zongen. Grootvader keek mee en schudde oud en wijs zijn hoofd.

'Dat wordt niks,' zei hij. 'Zingen van zakdoekje leggen en dan het kind met de zakdoek in de kring laten zitten! Waar moet dat kind in godsnaam haar zakdoekje leggen? Duw me er eens heen, Jacques. Niemand kent de oude spelletjes nog... Als je eens wist wat wij vroeger speelden op deze weide!'

Ja, dacht Jakob, als je dat eens wist...

Alles was nog hetzelfde als op de nacht van het feest. Ook nu zweefden er twee wespen boven de vuilnisbak naast het bankje. Daar zat ik, dacht Jakob, daar zat ik met Vezel en Neeltje, daar zat ik en keek toe. Hij ging weer zitten. Hij keek weer. De kinderen luisterden naar de aanwijzingen van grootvader en gingen in een kring zitten.

'Zingen!' hoorde hij grootvader roepen.

De kinderen zongen, de vrouw klapte in haar handen, en het kind met de zakdoek danste rond.

'Zo gaat-ie goed!' riep grootvader. Hij zwaaide en liet zich door vader verder over het veld duwen. Jakob, Liv en mams volgden hem.

'Ik weet een mooie put,' zei Jakob tegen zijn zusje. 'Misschien zitten er wel salamanders.'

Bij het pad dat aan de andere zijde van het veld begon haalden ze grootvader en vader in.

'Ik weet iets verderop een put,' zei Jakob.

'Ik weet waar die is,' zei grootvader, 'maar dat is een eindje om. We kunnen er beter op de terugweg langsgaan. Nu heb ik zin in een borrel.'

'Is het daar niet een beetje te vroeg voor?' vroeg vader.

'Als je zo oud bent als ik,' zei grootvader, 'is niks te vroeg. Karren maar.'

Jakob nam de handvatten van zijn vader over en duwde grootvader over het smalle pad. In de verte doemde de open plek met de sparren op. Daar had hij zich schuilgehouden voor de karperman. Hij zette zijn ogen op scherp. Zag hij het goed? Jazeker, tussen het groen hing de felgele sjaal van grootvader.

'Kijk!' riep Jakob. 'Uw sjaal! Die ben ik daar vorige week kwijtgeraakt!'

Hij begon te hollen. Het wagentje slingerde alle kanten op, maar grootvader protesteerde niet. Jakob bleef staan... De sjaal hing niet meer aan de tak van de spar waaraan hij hem had vastgeknoopt, maar over een tak van een nog jonge esdoorn. En Jakob wist toch zeker, heel zeker, dat de esdoorn daar vijf dagen geleden niet stond.

'Wacht maar even,' zei hij, 'dan pak ik hem.'

Hij liet grootvader staan, rende naar het boompje en legde zijn hoofd tegen de dunne stam.

'Hier ben ik,' fluisterde hij. 'Wat ben je al groot!'

De bladeren rondom ritselden.

'Ik kan je niet verstaan,' zei hij, 'maar dat geeft niet. Ik weet nu waar je bent in mijn wereld... Vannacht praten we verder.'

'Wat bezielt die jongen vandaag?' hoorde hij vaders stem. 'Als je niet beter wist zou je zeggen dat hij tegen die boom staat aan te kletsen.'

'Hij pakt mijn sjaal,' zei grootvader.

'O,' zei vader. 'Liv, kom uit die boom!'

Jakob keek op. Zijn zusje klauterde behendig een spar in.

'Bomen vinden het juist fantastisch als kinderen in ze klimmen,' riep hij, al wist hij niet helemaal zeker of dat ook voor naaldbomen gold.

'Nou, pak die sjaal, dan kunnen we verder,' zei vader.

Jakob nam de sjaal voorzichtig van de tak.

'Altijd als ik bij grootvader ben, kom ik ook naar jou,' beloofde hij. 'Iedere dag.'

De blaadjes van de esdoorn ritselden weer. Het was duidelijk dat Vezel hem wél kon verstaan. Een innige vreugde maakte zich van Jakob meester. Ach wat! dacht hij. Hij drukte een kus op de stam, draaide zich om, zwaaide de sjaal hoog door de lucht en danste om grootvaders rolstoel.

'Tiedeldiedomtiedom,' zong hij, 'tiedeldiedomtiedom, tiedeldiedomtiedom, tiedom, tie, tiedeldiedomtiedom.'

'Geef die sjaal terug aan je grootvader,' zei vader, 'en Liv, kom onmiddellijk uit die boom! Straks komt er nog een of andere boswachter en ik heb geen zin in dat soort poppenkast.'

Jakob gaf de sjaal aan grootvader en Liv kwam uit de boom.

In het restaurant kregen vader en mams een prettig soort ruzie over het klimmen in bomen. Mams was op dreef.

'Dat hebben die boswachters vroeger ook gedaan, in bomen klimmen,' zei ze. 'Daardoor zijn ze zoveel van de natuur gaan houden dat ze boswachter geworden zijn. Maar nu ze het *zijn*, verbieden ze alles. En door hun goede zorgen sterft er maar één levend wezen uit, en dat is... de boswachter! Want als kinderen niet in bomen mogen klimmen, leren ze ook niet van de natuur te houden, en worden ze ook geen boswachter. Dus over een poosje zijn er geen boswachters meer en kunnen alle kinderen weer fijn in alle bomen klimmen en worden ze later allemaal boswachter.'

'Bravo!' riep grootvader en hij hief zijn glas cognac.

Jakob zweeg en gluurde naar de keuken van het restaurant. Af en toe ving hij een glimp op van de kok die hij een paar dagen geleden van zijn broodjes had beroofd. En van zijn kaas. En van zijn ham...

'Grootvader,' fluisterde hij, 'zou u straks vijftig gulden fooi willen geven?'

'Ben je nu helemaal belazerd!'

'U krijgt het later van me terug.'

'Maar...'

'Hoe duur is een nieuwe ruit? Ik heb er hier laatst een gebroken. Ik moest wel. Anders zat ik nu niet hier. En u ook niet... U krijgt het terug, dat zweer ik.'

Grootvader wenkte de ober.

'Mag ik even afrekenen?' vroeg hij.

'*f* 23,75, meneer.'

Grootvader gaf hem een biljet van honderd.

'Laat de rest maar zitten,' zei hij.

'Is dat niet een beetje ál te gek?' vroeg de ober.

'Ik ben niet gek,' zei grootvader, 'maar mijn kleinzoon hier. Het is zijn idee.'

Jakob hoorde Neeltjes stem in zijn hoofd:

'Je wordt niet écht gek, de mensen zullen *denken* dat je gek bent...'

Het is begonnen, dacht Jakob, en een grote grijns van diep geluk trok over zijn gezicht.

Sjoerd Kuyper schreef meer boeken, voor kinderen van verschillende leeftijden.
Bij Leopold verschenen:

Majesteit, Uw ontbijt 10+
Josje 8+
Denk om de muizen 7+
Robins zomer 4+
Het zakmes 6+
Josje's droom 9+
Robin en Suze 4+
    (bekroond met een Zilveren Griffel 1994)
Robin en Sinterklaas 4+
Robin op school 4+
Het eiland Klaasje 6+
    (bekroond met een Zilveren Griffel 1995)
Robin viert kerstfeest 4+
Robin en God 4+